Lektürehilfen
Gotthold Ep
„Nathan

von Gerhard Sedding

Ernst Klett Verlag

Stuttgart München Düsseldorf Leipzig

In der Klett-Reihe Editionen für den Literaturunterricht
ist erschienen:
Gotthold Ephraim Lessing, **Nathan der Weise**,
Text und Materialien.
Materialien ausgewählt und eingeleitet
von Joachim Bark.
Stuttgart 1981.
Klettbuch 35 116

 Gedruckt auf Papier, welches aus
Altpapier hergestellt wurde

Die Deutsche Bibliothek – CIP-Einheitsaufnahme

Sedding, Gerhard:
Lektürehilfen Gotthold Ephraim Lessing „Nathan der Weise" /
von Gerhard Sedding. – 6. Aufl. – Stuttgart; München;
Düsseldorf; Leipzig: Klett, 1996
(Klett-Lektürehilfen)
ISBN 3-12-922339-8

6. Auflage 1996
© Ernst Klett Verlag für Wissen und Bildung GmbH,
Stuttgart 1991
Satz: J. Boy, Regensburg
Druck: Clausen & Bosse, Leck. Printed in Germany
ISBN 3-12-922339-8

Inhalt

Einleitung

Mehr als zweihundert Jahre „Nathan der Weise". Als Antwort auf eine Herausforderung entstanden, ist das Werk selbst Herausforderung geblieben bis heute. Wie kaum ein anderes Werk der deutschen Literatur wurde es gepriesen und verfemt, belächelt und immer wieder neu entdeckt.

Gotthold Ephraim Lessing, der kritische Denker der Aufklärung, hatte Auszüge aus der Schrift eines ungenannten Verfassers veröffentlicht, die dogmatische Lehrmeinungen der lutherischen Kirche in Frage stellten. Eine der aufregendsten Polemiken des 18. Jahrhunderts war die Folge – und für Lessing das herzogliche Verbot, weitere Abhandlungen zu diesem Thema zu publizieren.

Die List, ein Schreibverbot zu umgehen

Lessing fand den Ausweg, seine Gedanken zu Grundfragen menschlichen Glaubens und gesellschaftlichen Zusammenlebens in einem Theaterstück zu verarbeiten. Dazu galt es, die argumentative Erörterung der Zeitschriftenartikel in einen Handlungsverlauf zu verwandeln, abstrakte Begriffe in anschauliches Geschehen, Thesen und Argumente in lebendige Figuren – und diese Handlung war aus dem zu deutlichen Hier und Jetzt seiner Gegenwart in den Abstand einer anderen Zeit und eines anderen Ortes zu versetzen. Selbst die Sprache goß er, anstelle der Prosa, in die verfremdende – und gleichzeitig den Anspruch der Aussage steigernde, eindringlichere – rhythmisch bewegte Versform.

So entstand das ‚dramatische Gedicht' „Nathan der Weise". Es wurde mehr als nur eine dramatisierte Abhandlung – ein künstlerisches Werk, das ein eigenes Leben gewann. Eine Parabel, die zu immer neuen Deutungen und Stellungnahmen herausforderte. Lernwege von Menschen durch persönliche Erschütterungen hindurch zu verändertem Denken und Handeln. In religiösen, gesellschaftlichen und politischen Konflikten im

Parabel veränderten Denkens und Handelns

5

Vorderen Orient. Im Deutschland Lessings vor der französischen Revolution. Und, in der Wirkungsgeschichte des Werkes gespiegelt, in der deutschen Geschichte bis heute.

Es wurde Lessings letztes Theaterstück. Ob es Ihnen, dem heutigen Leser, noch etwas zu sagen hat – prüfen Sie es. Das vorliegende Buch will Ihnen Materialien dazu bereitstellen.

Konzeption und Aufbau des Stückes

Der historische Hintergrund

Lessing versetzt den Leser, den Zuschauer im Theater, nach Palästina, in die Zeit der Kreuzzüge, wo Europa und der vordere Orient, Christentum, Judentum und Islam in vielfältiger Weise aufeinandertreffen. 1099 war im ersten Kreuzzug das christliche Königreich Jerusalem gegründet worden. Durch rasche Thronwechsel und ausbleibende Hilfe von Byzanz war es geschwächt. Saladin, Sultan von Ägypten und Syrien, provoziert durch einen Raubüberfall eines christlichen Ritters auf eine Karawane, mit der eine Schwester Saladins reiste, schlug das christliche Heer und eroberte Jerusalem (1187). Das führte zum dritten Kreuzzug, unternommen zu Land von Kaiser Friedrich Barbarossa (der unterwegs ertrank) und zur See von Richard Löwenherz, König von England, und Philipp II. August, König von Frankreich. 1191 wird Akkon erobert, 1192 ein Waffenstillstand geschlossen, Jerusalem bleibt in den Händen Saladins. Die Tempelritter (Tempelherren), ein geistlicher Orden zum Schutz des heiligen Grabes Jesu und der christlichen Pilger, 1119 gegründet, brechen den Waffenstillstand. Saladin möchte ihn wieder herstellen und festigen, indem sein Bruder Malek (Melek) Richards Schwester heiraten soll und beider Gebiete in einem christlich-moslemischen Mischstaat vereinigt werden. Die Nathan-Handlung spielt 1192.

Etliche Textstellen nehmen Bezug auf den historischen Hintergrund:

I,5:   Der Tempelherr wurde bei Tebnin gefangen, als sie die Burg „mit des Stillstands letzter Stunde" gern erstiegen hätten.

I,5:   „König Philipp wissen lassen:/ ... /Ob die Gefahr denn gar so schrecklich, um/ Mit Saladin den Waffenstillestand,/ Den Euer

*Palästina
Kreuzzüge*

Sultan Saladin

Dritter Kreuzzug

Templerorden

*Bruch des
Waffenstillstands*

*Nathan-Handlung
1192*

Orden schon so brav gebrochen,/ Es koste, was es wolle, wieder her/ Zu stellen".

I,6: Dajas Mann ist mit Barbarossa in einem Fluß ertrunken.

II,1: Saladin „hätte gern den Stillestand aufs neue/ Verlängert", seine Schwester Sittah mit Richards Bruder, seinen Bruder Melek mit Richards Schwester verheiratet.

II,1: „Die Tempelherren/ ... sind schuld ... / ... Sie wollen Acca,/ Das Richards Schwester unserm Bruder Melek/ Zum Brautschatz bringen müßte, schlechterdings/ Nicht fahren lassen".

IV,2: „Saladin,/ Vermöge der Kapitulation,/ Die er beschworen ...": ein von Saladin 1187 bei der Einnahme Jerusalems abgeschlossener Vertrag.

Motto/ Leitthema/ Gesamtkonzeption

„Auch hier sind (die) Götter"

Lessing stellt seinem Drama als Leitspruch (Motto) ein Wort des römischen Gelehrten Aulus Gellius (zweites Jahrhundert nach Christus) voran: „Introite, nam et heic Dii sunt" – Tretet ein, denn auch hier sind (die) Götter. Fordert er den Leser damit auf, in seinem Werk etwas zu entdecken, was auf letzte (göttliche) Wahrheit hinweist? Ist es auch ein hintersinniger Hinweis darauf, daß er in diesem Theaterstück die ihm verbotene Auseinandersetzung über Fragen des Gottesglaubens und der Religion fortsetzt?

Vom „Wahn" zur „Wahrheit"

Auf jeden Fall soll der Leser, der Zuschauer etwas erkennen, wird er auf einen Weg zu besserer Einsicht geführt, soll am Ende vielleicht „weiser" sein als zuvor. Es geht um die Erziehung vom „Wahn" zur „Wahrheit", die zum Leitthema und Ziel dieses Weges wird (I,1). Lessing zeigt modellhaft, wie jede seiner Hauptfiguren diesen Weg durchläuft. Nathan, der Jude, ist ihn allein gegangen (IV,7) und so zum „Weisen" geworden. Er kann deshalb seine Adoptivtochter Recha (I,2) und den moslemischen Sultan Saladin (III,5–7) zur Einsicht führen. Alle drei tragen zur Erziehung des Christen, des Tempelherrn, bei. Dessen Lernweg durchzieht alle fünf Aufzüge des Dramas, und Lessing demonstriert an ihm die psychologischen Schwierigkeiten und Rückfälle eines solchen Lernprozesses.

Zielstrebig entwickelt Lessing das Leitthema in den fünf Akten („Aufzügen") des Dramas, deren Szenen („Auftritte") sich jeweils in mehrere Szenengruppen gliedern lassen.

I: Exposition

1–3: Einführung Nathans: Rückkehr nach Jerusalem, Nathan erzieht Recha, Nathan und der Derwisch Al Hafi

4–8: Der Stolz des Tempelherrn

II: Entwicklung

1–3: Sultan Saladin, seine Pläne, sein Geldmangel

4–8: Die Erziehung des Tempelherrn beginnt

9: Al Hafis Alternative

III: Wendepunkte

1–3: Der Tempelherr liebt das Judenmädchen

4–7: Nathan erzieht Saladin
Die Ringparabel als Kern der Botschaft

8–10: Die Verwirrung des Tempelherrn

IV: Krisis

1–2: Der Tempelherr sucht Rat beim Patriarchen

3–5: Der Tempelherr verklagt Nathan beim Sultan

6–8: Nathans (Selbst-)Erziehung als Vorgeschichte

V: Lösung

1–2: Saladins Umgang mit dem Geld: Erziehung durch Vorbild?

3–5: Neue Selbstbesinnung und neue Verwirrung des Tempelherrn

6–8: Die Lösung des Knotens
Die wechselseitigen Verknüpfungen der (Menschheits-)Familie

Der Handlungsverlauf

I. Aufzug: Exposition

I,1–3: Einführung Nathans: Rückkehr nach Jerusalem, Erziehung Rechas, Gespräch mit dem Derwisch

I,1: Der jüdische Kaufmann Nathan kehrt von einer erfolgreichen Geschäftsreise aus Babylon nach Jerusalem zurück und wird von Daja empfangen, der christlichen Gesellschafterin seiner Tochter Recha. Ihre Mitteilung, Recha wäre bei einem Brand seines Hauses beinahe ums Leben gekommen, versetzt ihn in angstvolle Erregung. Als er dabei Recha als sein Kind bezeichnet, macht Daja dagegen Einwände ihres Gewissens geltend, läßt sich aber von Nathan, der ihr kostbare Geschenke mitbringt, zum Schweigen überreden. Nathan erfährt von ihr, der mohammedanische Sultan Saladin habe einen gefangenen und zum Tode verurteilten christlichen Tempelherrn überraschend begnadigt. Dieser Tempelherr habe Recha aus dem Feuer gerettet, aber „kalt und ungerührt" und „taub" Dank und Kontakte abgelehnt und die in jüdischem Dienst stehende Christin Daja mit „bitterm Spott" verhöhnt; jetzt sei er verschwunden. Recha „schwärme" seitdem im Glauben, ihr Retter sei ein Engel gewesen. Nathan will diesen „süßen Wahn" des Engelsglaubens, „In dem sich Jud' und Christ und Muselmann/ Vereinigen", heilen; er soll der „süßern Wahrheit" Platz machen, denn „dem Menschen ist/ Ein Mensch noch immer lieber als ein Engel".

Daja berichtet von Rechas Rettung

Ein Geheimnis um Rechas Herkunft?

Der Tempelherr verachtet Juden

Vom „Wahn" zur „Wahrheit"

I,2: Recha schildert Nathan in innerer Erregung ihre Rettung durch einen Engel – ihren Engel – als ein von Gott bewirktes Wunder. Nathan versucht die Rettung als einen realen Vorgang durch einen leibhaftigen Tempelherrn zu erklären. Dem

Nathan erzieht Recha

Wunderglauben Rechas und Dajas stellt er seine Deutung des Wunderbegriffs gegenüber: die „wahren, echten Wunder" seien nicht das Außergewöhnliche, das Übersinnliche (die Durchbrechung der Naturgesetze), sondern Gottes natürliches, alltägliches Wirken innerhalb der Welt und des Weltgeschehens. Die Begnadigung des jungen Tempelherrn wegen einer Ähnlichkeit, die Saladin in ihm mit einem seit über zwanzig Jahren verschollenen Bruder entdeckt haben soll, sei ein solches „glaubliches" Wunder. Gott lenke „die strengsten/ Entschlüsse, die unbändigsten Entwürfe/ Der Könige ... / Gern an den schwächsten Fäden". Als Recha schon Einsicht zeigt, Daja aber den Wunderglauben noch verteidigen will, greift Nathan schließlich die Vorstellung, daß man sich durch den übersinnlichen Wunderglauben „Gott um so viel näher fühle", als überheblichen „Stolz", als „Unsinn oder Gotteslästerung" an. Nicht auf das „fühlen", sondern auf das „tun" am „Nächsten" komme es an. Einem Engel könne man kaum einen nützlichen Gegendienst erweisen, wohl aber einem Menschen – der nicht mehr auffindbare Tempelherr könne doch krank sein, gar im Sterben liegen und dringend der Hilfe bedürfen. Recha ist durch diese Vorstellung zutiefst erschüttert. Sie hat gelernt, was Nathan abschließend zusammenfaßt: „Begreifst du aber,/ Wieviel andächtig schwärmen leichter, als/ Gut handeln ist?"

Sein Begriff vom „Wunder"

Nicht andächtig schwärmen, sondern gut handeln

I,3: Der Bettelmönch (Derwisch) Al Hafi, Nathans alter Freund und Schachpartner, erscheint überraschend in prachtvoller Kleidung. Er habe die Bitte des Sultans, Schatzmeister (Defterdar) seines Hofschatzes zu werden, nicht ablehnen können: „Warum (=worum) man ihn recht bittet,/ Und er für gut erkennt: das muß ein Derwisch". Er bittet Nathan, da die Kassen wegen der Freigebigkeit des Sultans leer sind, dem Sultan Geld zu leihen. Nathan trifft in seiner Antwort eine kluge Unter- und Entscheidung: Al Hafi als Mensch könne alles von ihm haben, aber nicht als Schatzmeister des Sultans. Al Hafi ist sich des in-

Das innere Müssen des Derwischs

Saladins Geldnot

11

neren Widerspruchs, der Narrheit („Geckerei") im Verhalten des Sultans wie in seiner eigenen Situation bewußt: Saladins „gutherz'ger Wahn", der den Bettelmönch zum Schatzmeister gemacht hat, um die Bettler in seinem Land so zu beschenken, daß es in seinem Land keine Bettler mehr gebe, ist im Grunde fragwürdig: „Bei Hunderttausenden die Menschen drücken,/ Ausmergeln, plündern, martern, würgen; und/ Ein Menschenfreund an einzeln scheinen wollen?" und „ ... des Höchsten (=Gottes) Milde ... nachzuäffen,/ Und nicht des Höchsten immer volle Hand/ Zu haben?" Und seine eigene Narrheit sieht Al Hafi darin, an Saladins Narrheit „die gute Seite dennoch auszuspüren" und deshalb sein Amt angenommen zu haben, obwohl er um den inneren Widerspruch darin weiß. Doch beschließt er nun, sich aus dieser Zwangslage des guten Menschen wieder zurückzuziehen in die Bedürfnislosigkeit seiner Glaubensgemeinschaft „am Ganges".

Ein paradoxes (scheinbar widersprüchliches) Wortspiel beschließt die Szene: „Ich fürchte,/ Grad unter Menschen möchtest du ein Mensch/ Zu sein verlernen". Lessing läßt Nathan hier unterscheiden zwischen der bloßen Gattungsbezeichnung („unter Menschen") und dem Angehörigen der Gattung Mensch, der die besten Möglichkeiten dieser Gattung verkörpert („ein Mensch zu sein").

I,4–6: Der Stolz des Tempelherrn

I,4: Daja hat den Tempelherrn wieder erblickt. Sie bittet Nathan, auch auf Rechas dringenden Wunsch hin, ihn aufzusuchen, denn der Tempelherr „kömmt zu keinem Juden".

I,5: Ein christlicher Klosterbruder spricht den Tempelherrn an und gibt ihm zu verstehen, daß er ihn im Auftrag des christlichen Patriarchen von Jerusalem (Saladin hat den Christen dort ein Aufenthaltsrecht unter seiner Herrschaft eingeräumt) aushorchen soll. Widerwillig berichtet der

Das Dilemma des guten Menschen

„ein Mensch zu sein"

Der Tempelherr „kömmt zu keinem Juden"

Tempelherr, er sei beim Überraschungsangriff auf Tebnin – noch vor Ablauf des Waffenstillstands – mit zwanzig anderen gefangen und als einziger von Saladin überraschend begnadigt worden; seitdem habe er seine Zeit damit verbracht, ein Judenmädchen aus dem Feuer zu retten und neugierige christliche Pilger auf den Berg Sinai zu geleiten. Jetzt entledigt sich der Klosterbruder seines eigentlichen Auftrags, läßt aber deutlich erkennen, daß er ihn innerlich verabscheut (Schlüsselsatz: „ ... sagt der Patriarch"): Saladin möchte den Waffenstillstand wiederherstellen, König Philipp zögert noch; der Patriarch will den Waffenstillstand vereiteln und den Tempelherrn durch den Klosterbruder anstiften, die Befestigungsanlagen Jerusalems auszukundschaften und Saladin gefangenzunehmen oder zu ermorden. Der Tempelherr lehnt das Ansinnen entschieden ab: Gott und der Orden geböten ihm kein schurkisches Handeln („Bubenstück"), er verdanke Saladin sein Leben, und wenn er einem Bruder Saladins ähnlich sehe, so entspreche dem auch ein natürliches Gefühl in seinem Inneren. Gott, dessen Werk die Natur sei, widerspreche sich nicht selbst darin („Ah, Saladin! –/ Wie? Die Natur hätt' auch nur <u>einen</u> Zug/ Von mir in deines Bruders Form gebildet:/ Und dem entspräche nichts in meiner Seele?/ Natur, so leugst (=lügst) du nicht! So widerspricht/ Sich Gott in seinen Werken nicht!").

Der Klosterbruder trägt ihm das Ansinnen des Patriarchen vor

Er lehnt ab

I,6: Daja lädt den Tempelherrn erneut und dringlich ein, Nathan zu besuchen. Sie verweist dabei auf Nathans Reichtum, seine Weisheit, seine Güte und ihre eigene Herkunft als Christin und Witwe eines im Kreuzfahrerheer mit Kaiser Barbarossa zusammen ertrunkenen Reitknechts. Wieder lehnt der Templer schroff ab: „Jud' ist Jude./ Ich bin ein plumper Schwab". Dajas Schlußsatz „So geh, du deutscher Bär! so geh!" mit seiner kaum verhüllten Kritik am Vorurteil des christlichen Deutschen beschließt den ersten Aufzug.

Religiöses und nationales Vorurteil

Rückblick auf den ersten Aufzug

Expositionsfunktion Der Leser oder Zuschauer wird die Expositionsfunktion des ersten Aufzugs erkennen. Ort und Zeit der Handlung und fast alle Figuren werden direkt oder indirekt eingeführt, die Figuren im Dialog charakterisiert, die Ausgangssituation mit ihrer unmittelbaren Vorgeschichte (der Begnadigung des Tempelherrn, dem Brand des Hauses Nathans, der Rettung Rechas) vorgestellt. Schon **Dreifache Spannung** der erste Auftritt deutet eine dreifache Spannung an: ein Geheimnis um die Herkunft Rechas; das Verhalten gegenüber Andersgläubigen als möglichen dramatischen Konflikt; die Erziehung vom „Wahn" zur „Wahrheit" – das Leitthema. Nathan **Zwei Szenengruppen** steht im Mittelpunkt der ersten Szenengruppe (I,1–3): er erscheint als reicher Kaufmann und besorgter Vater, gibt Beispiele seiner Weisheit in der Erziehung Rechas und im Dialog mit Al Hafi und hört durch Al Hafi von der Geldnot des Sultans, mit der er nichts zu tun haben will. Mittelpunkt der zweiten Szenengruppe (I,4–6) ist der Tempelherr: hochmütiger Stolz des jungen Christen läßt ihn Juden verachten, innere Überzeugung aber auch ein intrigantes Ansinnen des christlichen Patriarchen zurückweisen.

Erwartungen des Lesers/Zuschauers Der erste Aufzug wirft damit eine Reihe von Fragen auf, auf deren Beantwortung der Leser oder Zuschauer gespannt sein kann. Was verbirgt sich hinter dem Geheimnis um Rechas Herkunft? Was entwickelt sich aus Al Hafis Dilemma, was aus der Widersprüchlichkeit im Verhalten des Tempelherrn, aus seiner Gegenposition zu Nathan? Wird Saladin, wird der Patriarch direkt in das Geschehen eingreifen? Und welche Rolle spielt der „weise" Nathan dabei, wird seine Weisheit herausgefordert, auf die Probe gestellt, kann sie sich bewähren?

Der Leser erkennt, daß Lessing sich auf sehr sparsame Regieanweisungen beschränkt und die Exposition daher fast ausschließlich in dialogische Rollensprache einbettet. Hilfreich kann die Beobachtung sein, daß wichtige Leitbegriffe **Schlüsselwörter** gleichsam als Schlüsselwörter durch mehrfache

Wiederholung hervorgehoben werden: „verbrannt", „Gewissen" und „schweig", „Wahn" (zu
„Wahrheit") in I,1; „Engel", „Wunder", „Mensch"
in I,2; „Mensch" in I,3 usw.

II. Aufzug: Entwicklung

II,1–3: Saladin, seine Pläne, sein Geldmangel

II,1: Die Szene führt in den Palast des Sultans.
Saladin spielt mit seiner Schwester Sittah
Schach. Gewinnt Sittah, erhält sie tausend Dinar
(arabische Goldmünzen), gewinnt Saladin, be-
kommt Sittah zum Trost das Doppelte geschenkt.
Doch Saladin ist zerstreut. Die Kämpfe drohen
wieder auszubrechen, er hätte nicht nur den Waffenstillstand gern verlängert, sondern auch seine
politische Vision verwirklicht. Durch eine Doppelheirat seiner Schwester Sittah mit einem Bruder des Richard Löwenherz von England und seines Bruders Melek mit einer Schwester Richards
hofft er nicht nur einen dauerhaften Frieden her-
zustellen, sondern aus der Vereinigung „der ersten, der besten Häuser der Welt" auch hervorra-
gende „Menschen" hervorgehen zu sehen. Sittah
ist realistischer. Der Stolz der Christen, die nur
Christen, nicht „Menschen" sein wollen („Menschen", „Menschlichkeit", „menschlich" sind immer wieder auftauchende Schlüsselwörter), steht
im Wege. Indem sie Meleks und Sittahs Übertritt
zum Christentum fordern, sei es ihnen nur um die
Verbreitung von Christi „Namen", nicht um die
von Christus vorgelebte „menschliche" „Tugend"
zu tun. Saladin schränkt ein: nicht die Christen,
sondern die christlichen Tempelherren seien
schuld, sie wollen Saladins Plan hintertreiben,
um Acca, den für Melek geforderten Brautschatz,
nicht herauszugeben zu müssen – nicht Saladins
moslemisch-christlicher Mischstaat, sondern die

Saladins Freigebigkeit

Sein Friedensplan

Stolz und Machtanspruch der Christen

Wiedererrichtung des christlichen Königreichs Jerusalem ist ihr Ziel.

Am Schluß des Auftritts nennt Saladin auch seine zweite Sorge, den Geldmangel: die Staats- und Kriegskasse, die sein Vater in einer Festung im Libanon-Gebirge verwaltet, ist leer.

Saladins Geldmangel

II,2: Das Motiv des Geldmangels steht im Mittelpunkt des nächsten Auftritts: die erwarteten Tributgelder aus Ägypten sind noch nicht eingetroffen. Al Hafi, der Hofschatzmeister, der Sittah den Gewinn beim Schachspiel auszahlen soll, kann nur leere Kassen melden. Als Saladin auch seinen Rat beim Schachspiel nicht annimmt (Saladin will Sittah gewinnen lassen), verrät Al Hafi in trotzigem Ärger, daß Sittah die großzügigen Geldgeschenke Saladins bisher schon heimlich der Kasse des Schatzmeisters überließ und so „den ganzen Hof/ Erhalten", den „Aufwand ganz allein/ Bestritten" hat. Saladin ist erfreut über diese Haltung seiner Schwester, die seiner eigenen Anspruchslosigkeit und Großzügigkeit entspricht („Ein Kleid, Ein Schwert, Ein Pferd, – und Einen Gott!/ Was brauch ich mehr?"). Er braucht jedoch Geld für die Staatskasse, auch wenn er für sich selbst alle Einschränkungen gern in Kauf nehmen würde, Al Hafi solle Geld borgen. Sittah lenkt das Gespräch auf Nathan als möglichen Geldgeber. Al Hafi verschweigt, daß er Nathan schon um Geld angegangen hat, und versucht abzulenken. Nathans Weisheit sei es, daß er niemand borge. Er gebe zwar den Armen, und das ohne Ansehen der Religion („Jud' und Christ/ Und Muselmann und Parsi, alles ist/ Ihm eins"), doch (und dabei kehrt Al Hafi die landläufige Vorstellung vom geldverleihenden und Wucherzins fordernden Juden um) „der ganz gemeine Jude" wolle Saladin im Geben übertreffen: „Nur eben darum leiht er keinem,/ Damit er stets zu geben habe". Unter dem Vorwand, er wolle einen reichen und geizigen Mohren um Geld fragen, eilt Al Hafi erregt davon.

Seine persönliche Anspruchslosigkeit

Nathan als möglicher Geldgeber?

II,3: Sittah schildert ihrem Bruder Nathans Reichtum und seine Weisheit. Am Ende der Szene und damit auch der Szenengruppe deutet sie an, sie wolle Nathan bei seiner „Schwäche" nehmen, sie plane einen „Anschlag" auf ihn.

Sittah plant einen „Anschlag" auf Nathan

II,4–8: Die Erziehung des Tempelherrn beginnt

II,4: Nathan, der mit Recha auf Dajas Rückkehr vom Tempelherrn wartet, beruhigt die erregte Recha. Seine Anspielung, in ihrem Herzen rege sich „ganz etwas anders" noch als nur Dankbarkeit ihrem Retter gegenüber, weiß sie offensichtlich nicht zu deuten. Daja meldet die Nähe des Tempelherrn und zieht sich mit Recha zurück.

Nathans Andeutung

II,5: Nathan und der Tempelherr begegnen sich zum ersten Mal. Schon aus dem Äußeren des Näherkommenden liest Nathan Widersprüchliches – der „gute" Blick erscheint ihm „trotzig" – und interpretiert es in der Metapher von Schale und Kern: nur die Schale ist bitter, „der Kern/ Ist's sicher nicht". Zugleich kommen ihm Blick und Gang bekannt vor: „Wo sah ich doch dergleichen?"

Nathans erster Eindruck

Der Dialog zwischen den beiden entfaltet sich in drei Phasen:
(1) „Stolz" und „verächtlich" lehnt der Christ den Dank des Juden ab. Die Rettung Rechas sei nur seine Pflicht als Tempelherr gewesen („wenn's auch nur/ Das Leben einer Jüdin wäre"). Nathan nennt diese Einstellung „Groß und abscheulich!", versucht sie aber als bescheidenes Herunterspielen der eigenen Tat zu entschuldigen. Er bietet dem Ritter seine Dienste an, erfährt jedoch nur ironische Zurückweisung. Erst als er nach dem Brandfleck auf dem Mantel des Templers greift („Es ist doch sonderbar,/ Daß so ein böser Fleck, daß so ein Brandmal/ Dem Mann ein beßres Zeugnis redet, als/ Sein eigner Mund") und seine Rührung über die Rettung des Mädchens erken-

Stolz und Judenverachtung des Tempelherrn

nen läßt (er küßt den Fleck, dabei tropft eine Träne auf den Mantel), beginnt der Ritter das Unmenschliche seiner Haltung einzusehen. Er ist „betreten", wechselt von der Kollektivanrede „Jude" zum persönlichen Namen „Nathan", läßt sich auf ein Gespräch ein.

Er ist „betreten"

(2) Nochmals spricht Nathan das „Gute" im Verhalten des Templers an: er habe sich aus Rücksicht auf die Abwesenheit des Vaters, auf den Ruf und die Gefühle des Mädchens so unhöflich gegeben. Als dieser sich wieder auf die Pflichten des Ordensritters beruft („Ihr wißt, wie Tempelherren denken sollten"), setzt Nathan dem bloßen Pflichtdenken, dem Gehorsam gegenüber den Ordensregeln, das übergreifende Denken „guter Menschen" entgegen, die es in allen Ländern gebe. Die Unterschiede zwischen den Menschen, auf die der Tempelherr hinweist, seien nur äußerlich; im Bild der unterschiedlichen Bäume, die sich im Wald vertragen müßten, entwickelt Nathan ein Plädoyer für wechselseitige Toleranz. Leidenschaftlich bezichtigt der Tempelherr nun gerade die Juden als Urheber des intoleranten „Stolzes" auch der Christen und Moslems, „den bessern Gott zu haben". Hier und jetzt, im Jerusalem der Kreuzzüge, zeige sich „die fromme Raserei" „in ihrer schwärzesten Gestalt".

Vom Pflicht- und Gehorsamsdenken zum Denken „guter Menschen"

Absage an die Intoleranz

(3) Der Tempelherr entschuldigt sich, will gehen, doch mit seiner Absage an die Intoleranz ist er Nathans Denken nahe gekommen. Nathan hält ihn zurück: „Wir müssen, müssen Freunde sein!" Der Trennung der Völker und Religionen setzt Nathan den verbindenden Menschheitsbegriff (als wiederholtes Schlüsselwort) gegenüber: „Wir haben beide/ Uns unser Volk nicht auserlesen. Sind/ Wir unser Volk? Was heißt denn Volk? Sind Christ und Jude eher Christ und Jude,/ Als Mensch? Ah, wenn ich einen mehr in Euch/ Gefunden hätte, dem es gnügt, ein Mensch/ Zu heißen!" Beschämt, Nathan verkannt zu haben, ergreift der Templer Nathans Hand, beide besiegeln durch Handschlag den Beginn einer Freundschaft. Am Schluß der Szene spricht der Tempelherr mit dem pluralischen Possessivpronomen von „unserer" Recha.

„Menschen" statt Völker und Religionen

Beginn einer Freundschaft

II,6: Daja unterbricht die beiden erregt und meldet: der Sultan wolle Nathan sprechen.

Nathan wird zu Saladin beordert

II,7: Nathan und der Tempelherr erklären sich gegenseitig, daß sie Saladin dankbar sind. Der Tempelherr für das Geschenk seines Lebens, Nathan dafür, daß damit auch ihm – und mit Rechas Rettung und der Freundschaft des Tempelherrn – das Leben „dreifach" neu geschenkt wurde. Beim Abschied gibt der Tempelherr auf Nathans Frage seinen Namen mit „Curd von Stauffen" an. Nathan stutzt beim Namen „von Stauffen", und nach des Templers Abgang erinnert er sich an einen Freund Wolf von Filnek, dem der junge Ritter ähnelt. Er will dieser Ähnlichkeit auf den Grund gehen, aber zuvor will er zu Saladin.

Ein Geheimnis um die Herkunft des Tempelherrn?

II,8: Nathan bittet Daja, Recha auf den baldigen Besuch ihres Retters vorzubereiten und seinen Plan, der auch ihr Gewissen beruhigen werde, nicht zu verderben.

Ein Plan Nathans?

II,9: Al Hafis Alternative

Al Hafi kommt, sich zu verabschieden. Nathan erfährt von ihm, daß Saladin Geld von ihm leihen will. Al Hafi hat Saladins Dienste verlassen. Er könne nicht mit ansehen, wie Saladins „Verschwendung" nun auch die „weise Milde" Nathans ruinieren werde, ist empört über Saladins Leichtfertigkeit beim Schachspiel (was Nathan ironisch kommentiert), zu alledem aber könne er, der nie für sich selbst gebettelt habe, es nicht vertragen, nun für andere borgen zu sollen. So hat er sich entschlossen, zu seiner parsischen Glaubensgemeinschaft (den Ghebern) nach Indien zurückzukehren: „Am Ganges nur gibt's Menschen". Er kann Nathan nicht überreden, sofort mit ihm aufzubrechen, um sich „selbst zu leben". Nathan bleibt und „bürgt" für Al Hafis nicht vollzogene Abrechnung beim Sultan. Daß er Al Hafis Alternative einer Freiheit in Bedürfnislosigkeit jedoch anerkennt, zeigt sein pointierter

Freiheit, sich selbst zu leben

Schlußsatz: „Der wahre Bettler ist/ Doch einzig und allein der wahre König".

Rückblick auf den zweiten Aufzug

Der zweite Aufzug setzt zunächst mit dem Auftreten Saladins und seiner Schwester die Exposition fort; zugleich dienen seine drei Szenengruppen der Entwicklung und Steigerung des dramatischen Geschehens. Saladins Geldnot wird präzisiert, Nathan als möglicher Geldgeber ins Spiel gebracht, ein „Anschlag" Sittahs auf ihn angekündigt (II,1–3); Nathan zu Saladin beordert (II,6).

Entwicklung und Steigerung

Im Mittelpunkt des Aufzugs (II,4–8) steht die Begegnung Nathans mit dem Tempelherrn. Nathan macht ihm ein Denken „guter Menschen" bewußt, das sowohl ein bloßes Pflicht- und Gehorsamsdenken wie auch die Unterschiede zwischen Völkern und Religionen übergreift; Recha darf seinen Besuch erwarten. Nathan deutet die Möglichkeit einer Liebe zwischen Recha und dem Tempelherrn und einen Plan an, der offenbar auch mit dem Geheimnis um Rechas Herkunft zu tun hat (Dajas Gewissen „soll seine Rechnung dabei finden"). Allerdings wird ihm jetzt die Herkunft des Tempelherrn zur Frage. Er entdeckt dessen Ähnlichkeit mit einem früheren Freund, und der rätselhafte Satz des Templers, den er „mit Erstaunen" wiederholt, scheint dadurch zu einem ‚Schlüsselsatz' zu werden: „Der Forscher fand nicht selten mehr, als er/ Zu finden wünschte".

Die „Erziehung" des Tempelherrn

Herkunftsgeheimnis

In der letzten Szene (II,9) zerreißt Al Hafi seine Verstrickung in das Netz von Geld und Macht, in das Nathan offensichtlich hineingezogen werden soll, und zeigt so eine herausfordernde Alternative auf. Damit ist allerdings seine dramatische Funktion beendet, er scheidet aus der Handlung des Dramas aus.

Al Hafis Alternative

Die Erwartung des Lesers/Zuschauers richtet sich jetzt zum einen auf die Begegnung zwischen Recha und dem Tempelherrn: Was wird sie ergeben? Zum anderen aber haben alle drei Szenen-

Erwartungen des Lesers/Zuschauers

gruppen mehr oder weniger auf das Zusammentreffen Nathans mit Sultan Saladin hingearbeitet:
Sittah plant einen Anschlag auf Nathan, Nathan
ist zu Saladin beordert und unterwegs zu ihm, er
weiß um Saladins Geldmangel und ist auch bereit, für Al Hafis noch ausstehende Abrechnung
zu bürgen. Al Hafi hat ihn gewarnt, daß Saladins
Verschwendung seine, Nathans, „weise Milde"
ruinieren werde.

III. Aufzug: Wendepunkte

III,1–3: Der Tempelherr liebt das
Judenmädchen

III,1: Während Nathan zum Sultan unterwegs
ist, erwarten Recha und Daja den Besuch des
Tempelherrn. Daja spricht zu Recha von ihrem
Wunsch, der Gott, für den der Ritter kämpfe,
wolle Recha „in das Land, … zu dem Volke führen …,/ Für welche du geboren wurdest" und verbindet damit ihre eigene Hoffnung, nach Europa
zurückzukehren. Recha will in ihrem „Vaterland"
bleiben. Sie lehnt den Besitzanspruch der Christen auf den wahren Gott ab („Wem eignet Gott?
was ist das für ein Gott,/ Der einem Menschen
eignet? der für sich/ Muß kämpfen lassen?") und
beruft sich dabei auf „den Samen der Vernunft",
den Nathan „so reich in meine Seele streute" und
den sie „vom sauersüßen Dufte" der Blume Dajas
nicht entkräften lassen will („ … viel tröstender/
War mir die Lehre, daß Ergebenheit/ In Gott von
unserm Wähnen über Gott/ So ganz und gar nicht
abhängt").

III,2: Dem eintretenden Tempelherrn will Recha
dankbar zu Füßen fallen. Als er abwehrt, ver-
gleicht sie ironisch den Mann, der keinen Dank
will, mit dem „Wassereimer", der sich gefühllos
zum Löschen füllen und leeren läßt („Tempelherren,/ Die müssen einmal nun so handeln; müssen/

Dajas Hoffnung

*Recha lehnt den
Besitzanspruch der
Christen auf den
wahren Gott ab*

*Sie ironisiert die
Pflicht- und
Gehorsamsethik
des Tempelherrn*

Wie etwas besser zugelernte Hunde,/ Sowohl aus Feuer, als aus Wasser holen«). Der junge Tempelherr reagiert „mit Erstaunen und Unruhe". Ihre Erscheinung wie ihre Rede überwältigen ihm „Auge/ Und Ohr": „ ... wer hätte die gekannt,/ Und aus dem Feuer nicht geholt?"; er verliert sich „in Anschauung ihrer". Recha unterbricht ihn schließlich, versucht ihn ins Gespräch zu ziehen; er ist äußerst verwirrt („Ich bin, – wo ich vielleicht/ Nicht sollte sein"). Abkehr und neues Anschauen münden in den doppelten Ausruf ihres Namens; unter dem Vorwand, Nathan warte auf ihn, nimmt er fluchtartigen Abschied.

III,3: Recha gesteht Daja, daß die Begegnung ihr auf den „Sturm" in ihrem Herzen überraschend innere Ruhe gegeben habe. Sie weiß jetzt: „Er wird/ Mir ewig wert; mir ewig werter, als/ Mein Leben bleiben ...".

III,4–7: Die Erziehung Saladins. Die Ringparabel

III,4: Sittah hat Saladin offenbar den Plan zu ihrem listigen Anschlag auf Nathan entwickelt. Saladin steht diesem Anschlag widerwillig gegenüber, er habe es nicht gelernt, Fallen zu legen, noch dazu, um Geld – „der Kleinigkeiten kleinste" – „einem Juden abzubangen". Schließlich läßt er sich doch von Sittah überreden. Wenn der Jude geizig und furchtsam sei, müsse man ihn nach seiner Art brauchen, handle es sich aber wirklich um einen guten und weisen Mann, habe Saladin obendrein „das Vergnügen,/ Zu hören, wie ein solcher Mann sich ausred't".

III,5: Saladins erste Begegnung mit Nathan führt, indem der Sultan auf Nathans Beinamen „der Weise" anspielt, zu einem Dialog über Klugheit und Weisheit. „Klug" ist, nach Nathan, der Eigennützige, „Der sich auf seinen Vorteil gut versteht"; „weise", so Saladin, ist der, der über „Der Menschen wahre/ Vorteile, die das Volk nicht

(marginal notes, left column:)

Aufbrechende Liebe des Tempelherrn

Verwirrter Abschied

Ruhige Gewißheit Rechas

Listiger Anschlag auf Nathan

kennt" nachgedacht hat. Unmittelbar darauf fordert Saladin Aufrichtigkeit von Nathan und stellt ihm die verfängliche Frage, welche der drei Religionen ihm am meisten eingeleuchtet habe und aus welchen Gründen er Jude geblieben sei. Er gibt ihm eine kurze Zeit zum Nachdenken.

Die verfängliche Frage

III,6: Nathan, überrascht, daß nicht Geld, sondern Wahrheit von ihm gefordert wird, „als ob/ Die Wahrheit Münze wäre", ahnt die Falle. Jede Antwort wird ihm Schwierigkeiten bereiten. Kann er vor dem moslemischen Herrscher, dem ‚Schwert des Islam', die alleinige Wahrheit des Judentums behaupten? Oder kann er sich rechtfertigen, warum er, wenn er einer anderen Religion auch Wahrheit zugestände, trotzdem Jude geblieben ist oder bleiben will? Da kommt ihm der Gedanke, er könne sich mit einem „Märchen", einer Gleichniserzählung, einer Parabel aus der Schlinge ziehen.

Ein „Märchen" als Ausweg

III,7: Den Auftakt zu Nathans „Märchen" bilden Nathans symbolträchtiger Wunsch „Möcht' auch doch/ Die ganze Welt uns hören", Saladins zwischen Anerkennung und versteckter Drohung schillerndes „ … das nenn/ Ich einen Weisen! Nie die Wahrheit zu/ Verhehlen! für sie alles auf das Spiel/ Zu setzen! Leib und Leben! Gut und Blut!" und Nathans wirklich weise Relativierung: „Ja! ja! wann's nötig ist und nutzt".

Die „Ringparabel": Der Auftakt

Lessing entfaltet die Parabel und ihre Wirkung auf Saladin wie ein kleines Drama im Drama in fünf Erzähl- und Geschehensschritten:

Fünf Erzähl- und Geschehensschritte:

(1) In einer Art Exposition wird die Ausgangssituation festgestellt: Ein Mann besitzt einen Ring, der die geheime Kraft hat, vor Gott und Menschen angenehm zu machen – für den, der ihn „in dieser Zuversicht" trägt. Dieser Ring wird auf den jeweils liebsten Sohn vererbt, der dadurch zum neuen Herrn des Hauses wird. – Saladin ist, wie Nathan sich vergewissert, zunächst ein aufmerksamer, etwas ungeduldiger Zuhörer.

(1) Der eine Ring, seine Kraft und Funktion

(2) Das auslösende Moment in der Ringhandlung ist ein Vater, der drei Söhne gleichermaßen liebt, jedem den Ring verspricht und schließlich zwei

(2) Ein Vater läßt zwei weitere Ringe anfertigen

weitere Ringe anfertigen läßt, von denen er selbst den ersten nicht mehr unterscheiden kann. – Der Sultan reagiert „betroffen": er beginnt offenbar, den hintergründigen Sinn der Gleichniserzählung zu ahnen.

(3) Übertragung auf die Glaubensfrage

(3) Wendepunkt ist Nathans Wechsel von der Bildebene auf die Übertragungsebene der Parabel: „Fast so unerweislich, als/ Uns itzt der rechte Glaube". Dem Einwand Saladins, die (äußeren) Unterschiede der drei Religionen seien doch unübersehbar, begegnet er mit dem Hinweis auf ihre historische Begründung, die geschichtliche Überlieferung, die „auf Treu und Glauben" angenommen werden müsse, wobei sich jeder verständlicherweise auf die seiner eigenen Vorfahren am meisten verlasse. – Saladin muß ihm (im Beiseitesprechen) innerlich recht geben.

(4) Weiterführung der Parabel: Das Dilemma des Richters

(4) Krisis: Nathan kehrt zur Bildebene zurück, schildert den Streit der Brüder nach des Vaters Tod und das Dilemma, die Zwangslage des Richters: der Streit zeige an, daß vermutlich keiner der Brüder den echten Ring habe. – Aus Saladin bricht zustimmende Erkenntnis heraus („Herrlich! herrlich!").

(5) Ein Rat anstelle eines Richtspruchs

(5) Lösung: Anstelle eines Richtspruchs bietet der Richter einen „Rat" an. Es sei möglich, daß der Vater die Tyrannei, zu der die Herrschaft eines einzigen Ringes geführt habe, nicht länger dulden wollte, da er alle seine Kinder gleichermaßen liebe. Dann dürfe jeder der Brüder seinen Ring für den echten halten, den Beweis müsse er aber durch sein Verhalten erbringen: durch eine von Vorurteilen freie Liebe, durch Sanftmut, herzliche Verträglichkeit, Wohltun und innigste Ergebenheit in Gott. „Über tausend tausend Jahre" werde dann „ein weisrer Mann" auf dem Richterstuhl sitzen und das Urteil sprechen.

Saladins Selbsterkenntnis

Als Nathan, wieder im Wechsel von der Bildebene zur Übertragungsebene, Saladin direkt fragt, ob er sich als „dieser weisere/ Versprochne Mann" fühle (zweimal tritt hier das Schlüsselwort „weise" aus III,5 und aus dem Auftakt dieser Szene wieder auf!), überwältigt ihn die Erkenntnis seiner Unzulänglichkeit, seines niedrigen Intrigenspiels: „Ich Staub? Ich Nichts?/ O Gott!". Er, der Nathan zu Beginn ihrer Begegnung (III,5) nur zweimal geringschätzig mit „Jude" angeredet hat, stürzt jetzt auf ihn zu: „Nathan, lieber Nathan", ergreift seine Hand und erbittet seine Freundschaft. Das gibt Nathan Gelegenheit, ihm fast beiläufig sein Geld zur Verfügung zu stellen.

Freundschaft mit Nathan

Am Schluß der Szene erwähnt Nathan seine Verpflichtung gegenüber dem Tempelherrn, was Saladin an dessen Ähnlichkeit mit seinem Bruder Assad erinnert. Er will Sittah dieses „Ebenbild" ihres Bruders zeigen und beauftragt Nathan, den Ritter zu holen.

III,8–10: Die Verwirrung des Tempelherrn

III,8: Die Begegnung mit Recha hat den Tempelherrn in innere Verwirrung gestürzt. Die so plötzlich entflammte Liebe zur Tochter eines Juden läßt sich mit dem christlichen Ordensgelübde des Tempelritters nicht vereinbaren. Sein Ausruf „Ich bin, – wo ich vielleicht nicht sollte sein" und sein hastiger Abschied in III,2 sind Vorboten des Kampfes „mit sich selbst", den er im Selbstgespräch dieser Szene leidenschaftlich rasch zugunsten der Liebe entscheidet. Drei Argumente führt er dafür an: Gefangennahme, Todesurteil und Begnadigung hätten ihn seiner Pflichten als Tempelherr entbunden, einen neuen, besseren Menschen aus ihm gemacht; auch was er über seinen Vater – den er offenbar nicht selbst gekannt hat – gehört habe, könne ihm jetzt ein Beispiel sein. Schließlich könne es ihm auch an Nathans Zustimmung nicht fehlen – dieses erstaunlichen Juden, der so gar nicht den bisherigen Vorurteilen des Tempelherrn gegenüber den Juden entspreche und doch sein Judentum betone (so läßt sich die Formulierung deuten: „Welch ein Jude! –/ Und der so ganz nur Jude scheinen will!").

Der innere Kampf des Tempelherrn

Rasche Entscheidung zugunsten der Liebe

III,9: Als der Tempelherr im Überschwang seiner jungen Liebe bei Nathan stürmisch um Recha wirbt, reagiert Nathan zurückhaltend. Gegenüber

Der Tempelherr wirbt bei Nathan um Recha

der ersten Begegnung (II,5) scheinen sich die Rollen vertauscht zu haben. Der Tempelherr glaubt Nathan in den „spätre(n) Fesseln" der Religionsbindung befangen gegenüber den „ersten Banden der Natur" – der Liebe zwischen den Geschlechtern, von Mensch zu Mensch – und tritt Nathan mit dessen eigenem Argument gegenüber: „Begnügt Euch doch ein Mensch zu sein!" Nathan wehrt ab, erkundigt sich statt dessen angelegentlich nach dem Namen des Vaters des Tempelherrn. Dieser gibt (in konjunktivischer Formulierung) einen Conrad von Stauffen an, den Nathan offensichtlich in früheren Jahren gekannt hat. Nathan stellt Rückfragen, erhält aber nur noch ironische Antworten. Noch gelingt es Nathan, die aufkommende Bitterkeit des jungen Templers zu beschwichtigen, er habe ja dessen Wunsch noch nicht abgeschlagen, doch ihm ins Haus zu folgen vermag dieser in diesem Zustand ungewisser Schwebe nicht.

Bitterkeit über Nathans Zurückhaltung

III,10: Daja bangt um die Erfüllung ihrer Hoffnung. Sie entlockt dem Tempelherrn das Geständnis seiner Liebe zu Recha, beschwört ihn, Recha zur Frau zu nehmen, sie „zeitlich" (in diesem Leben) und „ewig" (vor ewiger Verdammnis) zu retten. Als sie hört, daß Nathan die Werbung zurückgewiesen hat, bricht sie ihr Nathan gegebenes Versprechen und eröffnet ihm, Recha sei Christin. Der Tempelherr glaubt zunächst, Daja habe Recha heimlich bekehrt, und ironisiert ihren Missionseifer, doch sie offenbart ihm, Recha sei von Christeneltern geboren, sei getauft, Nathan sei nicht ihr Vater, er habe sie, unter Verheimlichung ihrer Herkunft, als Jüdin erzogen. Des Tempelherrn Vertrauen in Nathan ist erschüttert: „Der weise gute Nathan hätte sich/ Erlaubt, die Stimme der Natur so zu/ Verfälschen?" Die durch Herkunft erworbene Zugehörigkeit zu einer Religion gilt dem Tempelherrn plötzlich wieder als „Stimme der Natur". Er ist „verwirrt", will Zeit, um zu überlegen, was er tun soll. Daja bittet den Tempelherrn, sie mit Recha nach Europa mitzunehmen.

Daja gibt ihr Geheimnis preis

Rückblick auf den dritten Aufzug

In den drei Szenengruppen des dritten Aufzugs führt Lessing, formal der Struktur des klassischen fünfaktigen Dramas entsprechend, die Handlung zur Peripetie, dem Umschwung vom Höhepunkt zur Krise. So erwacht im christlichen Tempelherrn (III,1–3) bei seiner ersten Begegnung mit Recha die Liebe zu dem (vermeintlichen) Judenmädchen, aber gerade dadurch gerät er in neuen inneren Konflikt mit seinem Ordensgelübde als Tempelritter. Dem Juden Nathan gelingt es (III,4–7), den mohammedanischen Sultan Saladin in die Erschütterung vertiefter Erkenntnis zu führen – die Ringparabel wird zum bildhaften Mittelpunkt des Dramas –; Moslem und Jude schließen Freundschaft. Nathan, von dieser Begegnung mit Saladin zurückkehrend, „glüht heitre Freude" (III,8). Doch dann erweist sich (III,8–10), wie wenig noch das neue Denken im Tempelherrn verarbeitet und gefestigt ist. Nach einem Versuch, seinen inneren Zwiespalt rasch zugunsten der Liebe zu überwinden, stürzen ihn Nathans Zögern und Dajas Preisgabe des Geheimnisses um Rechas Herkunft in neue Verwirrung. Daneben nimmt der Aufzug auch das Motiv der Herkunft des Tempelherrn wieder auf: Saladin will Sittah das „Ebenbild" ihres Bruders zeigen und beauftragt Nathan, den Ritter zu holen (III,7), dieser erwähnt seinen früh verstorbenen Vater (III,8), nach dem auch Nathan fragt, ohne eine ihn befriedigende Antwort zu bekommen (III,9).

Nathans „Märchen" ist als die „Ringparabel" bekannt. Dabei versteht man unter der literarischen Form der Parabel (vom griechischen Verb paraballein, nebeneinanderstellen) „eine Erzählung mit selbständiger Handlung, in der eine Wahrheit aus einem anderen Vorstellungsbereich anschaulich gemacht wird" (Ivo Braak, Poetik in Stichworten). Es lassen sich also ein Bildbereich und ein Übertragungsbereich einer Parabel unterscheiden, wobei der Übertragungsbereich, auch „Sachhälfte" genannt, oft gar nicht ausgespro-

Peripetie

Herkunfts-geheimnis

Die literarische Form der Parabel

chen wird. Nathans Erzählung der Ringparabel wechselt zwischen beiden Bereichen.

Ringparabel und dramatische Handlung

Wie eng Lessing die Ringerzählung mit der dramatischen Handlung verflochten hat, mag nicht nur die Beobachtung zeigen, daß die Auftritte III,4–7 genau in der Mitte des Dramas stehen, im Gipfelpunkt der Peripetie, und daß die Handlung des gesamten Dramas als hintergründige Umsetzung der Parabel verstanden werden kann (darüber mehr im Kapitel „Dramatische Komposition"), sondern auch ihre Verquickung mit dem Entwicklungsprozeß der „Erziehung" und Selbsterkenntnis Saladins. Schon die drei Vorszenen verbinden äußere und innere Handlung. Die äußere Handlung zielt von der Planung des Anschlags (III,4) über Saladins verfängliche Frage (III,5) und Nathans Nachdenken (III,6) auf Nathans Antwort (III,7). Innerlich wird Saladins Erschütterung vorbereitet durch seine Bedenken gegenüber dem Anschlag (III,4) und den Dialog über Klugheit und Weisheit (III,5): Saladin weiß theoretisch, was „weise" ist, verhält sich aber im folgenden nur „klug", fordert Aufrichtigkeit von Nathan, wo er selber doch unaufrichtig ist und Nathan eine Falle stellen will. Nathans Antwort aber, der rettende Einfall der Märchenerzählung, ist wie der Leser oder Zuschauer unschwer erkennt, nicht nur Ausweg, sondern birgt letztlich Nathans – und Lessings? – Glaubensbekenntnis. (Mehr darüber im Kapitel „Theologiekritik und Religionsidee"; über die Quellen der Ringparabel informiert das Kapitel „Biographische Bezüge, Quellen und Selbstäußerungen Lessings".)

Erwartungen des Lesers/Zuschauers

Der dritte Aufzug entläßt den Leser oder Zuschauer wieder mit der dreifachen Erwartungsspannung des Herkunftsgeheimnisses, der Auseinandersetzung der Religionen und der Erziehung von „Wahn" zur „Wahrheit". Wer ist der Vater des Tempelherrn, und worin bestand sein „Fall" (III,8)? Wie kam das Christenkind Recha zum Juden Nathan? Ist Nathans „Weisheit", seine Menschlichkeit, nur eine Theorie der schönen Worte, hinter der eine Lüge steht? Und wird der Christ, der Tempelherr, in religiöses Gruppendenken, in Intoleranz zurückfallen? Wird sein Zweifel am Menschen Nathan zum Zweifel an der Idee der Menschlichkeit?

IV. Aufzug: Krisis

IV,1–2: Der Tempelherr sucht Rat beim Patriarchen

IV,1: In dieser Szene begegnen wir wieder dem Klosterbruder, der erst vor kurzem dem Tempelherrn widerwillig den Spionage- und Attentatsauftrag des Patriarchen, des christlichen Bischofs von Jerusalem, übermittelte (vgl. I,5). In einem kurzen Monolog verdeutlicht er seinen inneren Zwiespalt. Er, der sich freiwillig aus der Welt zurückgezogen hatte, wird vom Bischof als Werkzeug für intrigante Sonderaufträge benutzt, die ihn, da er das Gehorsamsgelübde abgelegt hat, gegen seinen Willen „mit der Welt/ Noch erst recht ... verwickeln". Als der Tempelherr „mit Hast" auf ihn zukommt, glaubt er zunächst, diesen hätte die Aussicht auf weltlichen Erfolg („Ehr' und Geld") bewogen, den Auftrag des Patriarchen anzunehmen. Der Tempelherr lehnt das entschieden ab, er wolle sich nur einen Rat vom Patriarchen holen. Dem kritischen Hinweis des Klosterbruders, daß die Kirche sich vom Rittertum auch nicht Rat hole, begegnet er mit Worten, die sein Mißtrauen gegen Nathan und damit seinen Rückfall in religiöse Intoleranz anzeigen: „ ... ich seh nun wohl,/ Religion ist auch Partei; und wer/ Sich drob auch noch so unparteiisch glaubt,/ Hält, ohn' es selbst zu wissen, doch nur seiner/ Die Stange. Weil das einmal nun so ist,/ Wird's so wohl recht sein". Durch den Wink des Klosterbruders wird ihm aber klar, daß er den Rat eines aufrichtigen Christen sucht und nicht den Machtspruch eines kirchlichen Würdenträgers oder die Gelehrsamkeit eines Theologen. Als er sich aus dieser Einsicht heraus an den Kloster-

Der Zwiespalt des Klosterbruders

Der Tempelherr sucht Rat

„Religion ist auch Partei"

29

bruder selbst wenden will, entzieht sich dieser der neuen Verwicklung in weltliche Dinge mit dem Hinweis auf sein bloßes Gehorsamsgelübde. Das Erscheinen des Patriarchen macht die Begegnung unausweichlich.

IV,2: Der „mit allem geistlichen Pomp" nahende Patriarch wird mit kurzen Kommentaren des Tempelherrn und des Klosterbruders eingeführt. Die prunkvolle Aufmachung des dicken roten Würdenträgers steht im Widerspruch zu seiner zur Schau getragenen Freundlichkeit und dem Anlaß eines Krankenbesuchs. Im folgenden Dialog mit dem Tempelherrn begründet der Patriarch zunächst auf dialektische Weise den Machtan-

spruch der Kirche: Den Rat, den der Jüngere beim Älteren sucht, erklärt er zu einem Machtspruch des kirchlichen Amtsträgers als „Engel Gottes", dem blind zu gehorchen sei, da die kleine, eitle Vernunft ihre Grenzen finde im Willen – der „Willkür" – Gottes, der doch erst die Vernunft erschaffen habe und deshalb über ihr stehe. Der Tempelherr legt ihm nun sein Problem vor. Er fragt, was im Fall eines Juden zu tun sei, der ein getauftes Christenkind als Jüdin erzogen habe. Der Patriarch will wissen, ob es sich dabei um eine bloße „Hypothese" handle – dann lohne es die Mühe nicht, den Fall im Ernst durchzudenken, das könne man als „theatral'sche Schnurre" mit pro und contra auf dem Theater behandeln – oder um ein „Faktum", das sich wirklich in seiner Gemeinde Jerusalem zugetragen habe. Dann freilich sei dieser „Frevel", die „Lastertat" nach päpstlichem und kaiserlichem Recht mit dem Verbrennungstod auf dem Scheiterhaufen zu be-

strafen. Der Tempelherr bringt verschiedene Gegenargumente vor: Der Jude könne das Kind vor dem Tod im Elend gerettet haben; er habe das Mädchen, wie man höre, in keinem Glauben erzogen, „sie von Gott nicht mehr und nicht weniger/ Gelehrt, als der Vernunft genügt". Der Patriarch weist sie zurück. Besser wäre das Kind im Elend umgekommen, als so zu seinem ewigen Verderben gerettet zu werden, außerdem habe der Jude Gott bei der Rettung nicht vorzugreifen, und Erziehung zur Vernunft sei ein noch dreifach schlimmeres Vergehen als Erziehung in einem anderen Glauben. „Tut nichts, der Jude wird verbrannt" bleibt (als mehrfach wiederholter Schlüsselsatz) sein stereotypes Fazit.

Als der Tempelherr ernüchtert und angewidert gehen will, ohne den Namen des Juden preiszugeben, droht der Patriarch mit dem Sultan: Saladin habe beim Waffenstillstand der christlichen Religion Schutz zugeschworen und werde außerdem begreifen, daß Menschen, die nichts glauben, dem Staat gefährlich seien. Als der Tempelherr ihm zuvorkommt – er sei zu Saladin gerufen –, lenkt der Patriarch plötzlich ein (er hatte doch den Tempelherrn anstiften lassen, Saladin gefangen zu nehmen oder zu ermorden, vgl. I,5!). Der Tempelherr möge seiner „nur/ Im Besten" bei Saladin gedenken, und der Fall des Juden sei sicher nur ein Gedankenspiel, kein tatsächliches Vorkommnis gewesen. Nach dem Abgang des Tempelherrn beauftragt er freilich den Klosterbruder, die Identität des Juden herauszufinden.

Drohung mit der Macht des Sultans

IV,3–5: Der Tempelherr verklagt Nathan bei Saladin

IV,3: Sklaven tragen „eine Menge Beutel" mit dem von Nathan zugesagten Geld in den Palast. Während Saladin und Sittah Nathan und den Tempelherrn erwarten, zeigt Sittah Saladin ein kleines Bild des verschollenen Bruders Assad. Wir erfahren, daß dieser Bruder eines Morgens ausritt und nicht mehr zurückkehrte. Saladin nimmt sich vor, zu prüfen, inwiefern der Tempelherr dem Bild ähnelt.

Assads Bild

IV,4: Der Tempelherr erscheint. Saladin, der ihm zuvor das Leben schenkte, sichert ihm auch die Freiheit zu. Weil er in ihm das Ebenbild seines Bruders erkennt, fragt er, ob er bei ihm bleiben wolle, gleichviel ob als Christ oder als Moslem. Auch Saladin faßt sein Bekenntnis zu religiöser

Der Tempelherr ist Assads Ebenbild

Toleranz, wie Nathan in II,5, im Bild der Bäume im Wald: „Ich habe nie verlangt,/ Daß allen Bäumen **eine** Rinde wachse". Der Tempelherr, bereit, sein ihm geschenktes Leben in den Dienst Saladins zu stellen, nicht aus bloßem Pflichtgefühl der Dankbarkeit, sondern „Als Wunsch in meiner Seele", nimmt die Pflanzenmetapher auf und charakterisiert Saladins friedliebende Menschlichkeit: „Der Held, der lieber Gottes Gärtner wäre". Saladin bietet ihm die Hand; sie besiegeln den Beginn einer aus innerer Neigung wie aus gegenseitiger Achtung gewonnenen Freundschaft mit der Umkehrung der formelhaften Wendung (statt: Ein Mann – ein Wort): „Ein Wort?" – „Ein Mann!")

Beginn einer Freundschaft zwischen Saladin und dem Tempelherrn

Als aber Saladin sich glücklich auch an den am gleichen Tag gewonnenen Freund Nathan erinnert, reagiert der Templer „frostig", und indem er Saladin ausführlich über die Geschichte seiner Liebe zu Recha, Nathans Zurückweisung seiner Werbung und Dajas Neuigkeit berichtet, steigert sich seine Empörung bis zur „heftig(en)" Anklage. Er habe Recha ohne Besinnen aus dem Feuer gerettet, der „weise Vater" aber müsse erst Erkundigungen einziehen und erweise sich nun sogar selbst als intolerant: „Daß mir,/ Geträumt, ein Jude könn' auch wohl ein Jude/ Zu sein verlernen …" – „Der Aberglaub', in dem wir aufgewachsen,/ Verliert, auch wenn wir ihn erkennen, darum/ Doch seine Macht nicht über uns." – „Der Aberglauben schlimmster ist, den seinen/ Für den erträglichern zu halten …" – „Der tolerante Schwätzer ist entdeckt!/ Ich werde hinter diesen jüd'schen Wolf/ Im philosoph'schen Schafspelz Hunde schon/ Zu bringen wissen, die ihn zausen sollen!"

Der Tempelherr verklagt Nathan

Saladin macht ihm seinen Rückfall in intoleranten Fanatismus bewußt

Saladin begegnet ihm mit ernster Zurechtweisung. Sein wiederholtes „Sei ruhig, Christ!" macht dem Tempelherrn seinen eigenen Rückfall in intoleranten christlichen Fanatismus bewußt. Die beginnende Einsicht des Ritters vertieft er mit der Mahnung zur Behutsamkeit, der Warnung vor der Preisgabe Nathans an die christlichen Fanatiker. Er bringt den „Sturm der Leidenschaft" (in dem er wieder Züge seines Assad zu erkennen glaubt) auf den klaren psychologischen Punkt: „Sei keinem Juden, keinem Muselmanne/ Zum Trotz ein Christ!" Die Szene schließt versöhnlich mit Saladins Versprechen, dem Tempelherrn zu Recha zu verhelfen, und der die Anklage humorvoll entschärfenden Wendung, es Nathan „schon empfinden" zu lassen, ein Christenkind „ohne Schweinefleisch" erzogen zu haben.

IV,5: Nach dem Abgang des Tempelherrn bestätigen sich Sittah und Saladin dessen Ähnlichkeit mit dem verschollenen Assad. Sittahs Neugier auf des Tempelherrn Eltern läßt Saladin Assads Neigung zu „hübschen Christendamen" erwähnen. Beide sind sich einig darüber, daß Nathan Recha dem Tempelherrn lassen müsse. Saladin willigt in Sittahs Wunsch ein, Recha zu sich holen zu lassen.

Der Tempelherr ein Sohn Assads?

IV,6–8: Nathans (Selbst-)Erziehung als Vorgeschichte

IV,6: Dajas eifernde Ungeduld, Recha durch eine Verbindung mit dem Tempelherrn wieder als Christin unter Christen zu sehen, rahmt die Hauptszene IV,7 dieser Szenengruppe ein. Sie beschwört Nathan, der „Sünde" seiner jüdischen Erziehung Rechas ein Ende zu machen. Nathan bittet sie, noch wenige Tage Geduld zu haben, und nennt (im kurzen Selbstgespräch) den Grund für seine Zurückhaltung gegenüber dem Tempelherrn. Er möchte Klarheit über dessen Herkunft haben, ohne daß er vorzeitig preisgibt, daß er nicht Rechas Vater ist (was Tempelherr und Leser/Zuschauer in III,10 ja schon erfahren haben).

Dajas eifernde Ungeduld

IV,7: Diese Szene bringt eine Begegnung Nathans mit dem Klosterbruder. Fünf Abschnitte lassen sich unterscheiden:
(1) Ein kurzer Monolog Nathans am Anfang schlägt das Thema an: Nathan will Rechas „Vater" bleiben.
(2) In einem langen Anlauf enthüllt der Klosterbruder den Grund seines Kommens. Er entschul-

Nathan möchte Rechas „Vater" bleiben

digt seine Zwangslage, ihm verhaßte Aufträge des Patriarchen ausführen zu müssen, mit der Schilderung seines Schicksals. Sein gegenwärtiger Auftrag sei, einen Juden aufzuspüren, „der/ Ein Christenkind als seine Tochter sich erzöge". Das habe ihn daran gemahnt, daß er vor achtzehn Jahren als Reitknecht Nathan ein kleines Mädchen anvertraut habe: die Mutter war nach der Geburt gestorben, der Vater, ein Ritter Wolf von Filnek, der wegen der Kriegsereignisse das Kind nicht bei sich behalten konnte, sandte es dem ihm befreundeten Nathan („das Kindchen Eures Freunds") und kam bald darauf bei Askalon ums Leben. Nathan bestätigt alle Angaben und ergänzt: Wolf von Filnek habe ihm mehr als einmal das Leben gerettet („mich dem Schwert entrissen«).

Der Klosterbruder hat Recha zu Nathan gebracht

Er rechtfertigt Nathans Verhalten

(3) Der Klosterbruder versichert Nathan, er werde ihn nicht dem Patriarchen preisgeben, denn Nathans Verhalten sei „natürlich" gewesen. Wenn das Kind gut erzogen werden sollte, habe er es als sein eigenes erziehen müssen, denn es durch andere als Christin erziehen zu lassen, wäre keine Liebe zum Kind seines Freundes gewesen, und Kinder brauchten in den Kinderjahren Liebe mehr als Christentum, zum Christentum habe es immer noch Zeit. Überdies hätten Christen zu oft vergessen, daß „das ganze Christentum/ Aufs Judentum gebaut" sei, „Daß unser Herr ja selbst ein Jude war".

(4) Der erschütterte Nathan erwidert die verständnisvolle „fromme Einfalt" des Klosterbruders mit der – bisher in demütiger Bescheidenheit noch niemandem mitgeteilten – Erzählung seines Schicksals. Christen hatten vor achtzehn Jahren in Gath alle Juden umgebracht, Nathans Frau und seine sieben Söhne wurden im Hause seines Bruders (wohl auch mit dessen Familie) verbrannt. (Von daher erhält auch Nathans Angst in I,1, Recha könne verbrannt sein, ihren Hintergrund). Nathan schildert seine dreifache Reaktion: er habe sich gegen Gott aufgelehnt, habe sich selbst und die Welt verwünscht, habe der Christenheit unversöhnlichsten Haß zugeschworen.

Nathan erzählt seine Vorgeschichte

Bis ihn am dritten Tag Vernunft auf eben diesen drei Ebenen zu neuer Einsicht führte: zur Ergebenheit in Gottes Ratschluß, zur Selbstüberwindung („Steh auf! – Ich stand! und rief zu Gott: ich will!/ Willst du nur, daß ich will!"), und, als ihm im selben Augenblick der Reitknecht das hilflose Christenkind brachte, zum Annehmen dieser neuen Aufgabe in Nächstenliebe. Der Klosterbruder sieht in diesem Verhalten des Juden Nathan ein Beispiel besten Christentums („Ein beßrer Christ war nie!"), Nathan wieder in der Menschlichkeit des christlichen Klosterbruders vorbildliches jüdisches Verhalten („das macht Euch mir/ Zum Juden!").

(5) Doch die gegenwärtige Situation verlangt eine neue Entscheidung Nathans. Nachdem ihn noch am Anfang der Szene der Wunsch, Rechas Vater zu bleiben, beherrschte, findet er nun in neuer Selbstüberwindung erneut zur Ergebenheit in Gott („Ob der Gedanke mich schon tötet, daß/ Ich meine sieben Söhn' in ihr aufs neue/ Verlieren soll: – wenn sie von meinen Händen/ Die Vorsicht wieder fodert, – ich gehorche!"). Er ist bereit, Recha abzutreten, wenn sich Verwandte finden sollten, fragt den Klosterbruder nach Angehörigen Rechas und erhält die Bestätigung, daß Rechas Mutter die Schwester eines Conrad von Stauffen war. Der Klosterbruder will ihm ein von ihm aufbewahrtes Gebetbuch seines gefallenen Herrn Wolf von Filnek – Rechas Vater – mit Eintragungen seiner Angehörigen in arabischer Schrift bringen.

Neue Bewährung Nathans

Rechas Eltern

IV,8: Jetzt kommt Daja mit der Nachricht, daß Sittah Recha zum Sultanspalast holen läßt. Nathan prüft sie, ob sie nicht die Informantin des Patriarchen war, sie wehrt das ab. Ihr abschließendes kurzes Selbstgespräch offenbart ihre Furcht, Recha sei als einzige vermeintliche Tochter eines reichen Juden auch für einen Moslem begehrenswert, dann sei sie für den Tempelherrn verloren. Sie entschließt sich deshalb, ihr Geheimnis auch Recha gegenüber zu brechen und Recha ihre christliche Herkunft zu verraten.

Daja will Recha ihre Herkunft verraten

Rückblick auf den vierten Aufzug

Krise und Teillösungen

Der IV. Aufzug treibt die Handlung in zunehmender Verschränkung der drei Spannungsebenen (Herkunftsmotiv, Religionskonflikt, Erziehungsthema) in die Krise, bereitet aber zugleich mit positiven Teillösungen die Lösung des V. Aufzugs vor.

Die Krise des Tempelherrn

Die Verwirrung des Tempelherrn zeigt, wie sehr die in den ersten drei Aufzügen entfaltete menschheitsumfassende Ethik der (auf Gott bezogenen) Vernunft und Menschlichkeit noch im Kampf liegt mit den alten Vorurteilen der religiösen Intoleranz. In der ersten der drei Szenengruppen (IV,1–2) sucht er als Christ den aufrichtigen Rat eines erfahrenen Christen – und begegnet im christlichen Patriarchen von Jerusalem der abstoßenden Verkörperung eines machtstrebenden Unfehlbarkeitsanspruchs. Er gibt daraufhin Nathans Namen nicht preis, entlarvt ironisch die Doppelzüngigkeit der Drohung mit dem Sultan, bewirkt so das ängstliche Umschwenken des Patriarchen zu aufdringlicher Schmeichelei und verläßt ihn angewidert.

Freundschaft mit und Zurechtweisung durch Saladin

Aus persönlicher Zuneigung und menschlicher Achtung erwächst Freundschaft zwischen Saladin, dem Sultan, dem Moslem, und dem Tempelherrn, dem Christen, seinem früheren Feind. Als der Tempelherr Nathan bei Saladin anklagt, begegnet er in Saladin dem nun in seiner Erkenntnis Sicheren, der ihm seinen Rückfall in (christlichen) intoleranten Fanatismus bewußt macht.

Nathans leidvoller Weg zur „Weisheit"

Schließlich führt die letzte Szenengruppe des Aufzugs (III,6–8) zum neuen Höhepunkt des Dramas. Nathans eigene Krise liegt in seiner Vorgeschichte. Sein eigener Weg zur „Weisheit", seine (Selbst-)Erziehung – die Ergebung in „Gottes Ratschluß", die Überwindung „unversöhnlichsten Hass(es)" gegen die Christenheit, die Annahme des Christenmädchens Recha. In der Herausforderung der neuen Krise muß er diese Haltung bewähren mit der Bereitschaft zur Freigabe Rechas. Nathans Vorgeschichte zeigt, daß seine „Weisheit" nicht blasse Idealität, sondern aus einem erschütternden Schicksal erwachsen ist.

Das Geschehen im IV. Aufzug wird durch das Herkunftsmotiv vorangetrieben. Dajas Information über Rechas christliche Herkunft (III,10) bringt den Tempelherrn zum Patriarchen (IV,1–2); des Patriarchen Auftrag an den Klosterbruder, den Juden ausfindig zu machen, führt den Klosterbruder zu Nathan (IV,7). Das Bildnis Assads (IV,3) und die Bestätigung der Ähnlichkeit des Tempelherrn mit Assad in Aussehen, Sprechton und Charakter deuten eine mögliche Vaterschaft Assads an (IV,5). Die Begegnung Nathans mit dem Klosterbruder bringt zutage, wie Recha zu Nathan kam und wer ihre Eltern sind (IV,7); ein Gebetbuch Wolf von Filneks, Rechas Vater, das der Klosterbruder Nathan bringen will, soll weiteren Aufschluß über Rechas Angehörige bringen (IV,7).

Das Herkunftsmotiv

Die Erwartungen des Lesers oder Zuschauers dürften sich auf das lange vorbereitete Zusammentreffen der Hauptfiguren beim Sultan richten. Äußerlich drängt das Herkunftsgeheimnis auf seine Lösung: Was wird das Gebetbuch Wolfs von Filnek enthüllen, das der Klosterbruder Nathan bringen will? Ist der Tempelherr mit Assad, ist Recha – als Nichte eines Conrad von Stauffen, den der Tempelherr als seinen Vater angab (III,9) – mit dem Tempelherrn verwandt? Im Verhalten der Angehörigen der verschiedenen Religionen zueinander hat der Moslem Saladin seine neue, der Jude Nathan seine vergangene Erkenntnis in praktischem Handeln erneut bewährt – doch hat nun auch der Christ, der Tempelherr, schon genug gelernt, hat er aus seiner Verwirrung, seinem Rückfall in intolerantes Gruppendenken, endgültig herausgefunden?

Erwartungen des Lesers/Zuschauers

V. Aufzug: Lösung

V,1–2: Saladins Umgang mit dem Geld: Erziehung durch Vorbild

Saladins Geldnot endet

V,1: Saladins Geldnot endet: die langersehnte Karawane mit den Tributen aus Ägypten trifft ein. Der „Edelmut" seiner Mamelucken – der eine rechnet auf eine Belohnung und verzichtet trotzig darauf, weil Saladin sie ihm nicht ohne Aufforderung gegeben hat, der andere will das empfangene großzügige Geldgeschenk mit einem unterwegs gestürzten Kameraden teilen – läßt Saladin an eine Besserung der Menschen durch eigenes beispielhaftes Vorbild glauben. Er will weiterhin den Armen geben.

Besserung der Menschen durch beispielhaftes Vorbild

V,2: Mit dem Hauptteil der Summe unterstützt er seinen in Geldnot befindlichen Vater im Libanon, der die Staatskasse verwaltet, das Heer und die unvermeidlichen Kriegsausgaben bezahlen muß (vgl. I,5).

V,3–5: Neue Selbstbesinnung und neue Verwirrung des Tempelherrn

Neue Selbst-besinnung des Tempelherrn

V,3: Saladin hat in IV,4 dem Tempelherrn seinen Rückfall in intoleranten christlichen Fanatismus einsichtig gemacht. Im Monolog dieser Szene wirkt diese Einsicht nach („Wie? sollte wirklich wohl in mir der Christ/ Noch tiefer nisten, als in ihm der Jude?"). Es geht ihm auf, daß Nathan an Recha keinen „Raub" beging, sondern Recha ihren eigentlichen „höhern Wert" Nathan als ihrem geistigen Vater verdankt („Ach! Rechas wahrer Vater/ Bleibt, trotz dem Christen, der sie zeugte, – bleibt/ In Ewigkeit der Jude"). „Lenk ein!" ruft er sich zu, Dajas Aussage erscheint ihm nun fragwürdig, und als er den Klosterbruder bei Nathan sieht, erkennt er die Gefahr für Nathan und Recha, die er durch sein unbedachtes Vorsprechen beim Patriarchen heraufbeschworen hat, und will neue Entschlüsse fassen.

V,4: Der Klosterbruder hat Nathan inzwischen das Gebetbuch des gefallenen Ritters Wolf von Filnek – Rechas Vater – gebracht. Als er Nathan auf die mögliche Bedrohung durch den Patriarchen und den Tempelherrn hinweist, betont Nathan, er werde trotzdem nie bereuen, was er an Recha getan habe. Die Eintragungen im Gebetbuch haben ihm offenbar den „Knoten" des Herkunftsgeheimnisses gelöst; nach des Klosterbruders Abgang dankt er in einem bewegten Gebet Gott dafür, daß er nun endlich auch vor den Menschen frei ist – Rechas Herkunft nicht mehr verbergen muß.

Das Gebetbuch enthüllt Nathan das Herkunfts- geheimnis

V,5: Der Tempelherr bekennt Nathan, seine Erregung über Nathans Ablehnung seiner Werbung und sein Mißtrauen gegen Nathan nach Dajas Mitteilung über Rechas christliche Herkunft hätten ihn zu seinem übereilten Gang zum Patriarchen verleitet. Er bittet ihn um Verzeihung: die Reaktion des Patriarchen habe ihn wieder zu sich selbst gebracht. Gleichzeitig glaubt er, einen Ausweg aus der Gefahr zu wissen (der freilich auch seinen Wünschen sehr gelegen kommt). Er bedrängt Nathan, ihm Recha zur Frau zu geben, dann könne der Patriarch sie nicht mehr in ein Kloster einsperren, und auch Nathan sei gerettet (viermaliges Schlüsselwort „Gebt sie mir!"), es sei ihm gleich, ob Recha „Christin, oder Jüdin, oder keines" sei. Wieder wehrt Nathan ihn ab: Gerade der Anzeige des Tempelherrn beim Patriarchen sei es zu verdanken, daß Nathan erfahren habe, es gebe Verwandte Rechas, vor allem einen Bruder, bei dem der Tempelherr um sie werben müsse. Und wieder gerät der Tempelherr darauf in leidenschaftliche Erregung: diesmal bei dem Gedanken, daß Rechas Bruder sicher ein Christ sei und Christen dann Nathans Erziehungswerk verderben könnten („Wird sie nicht/ Die Christin spielen müssen, unter Christen?" – „Wird den lautern Weizen,/ Den Ihr gesät, das Unkraut end-

Neue Verwirrung des Tempelherrn

lich nicht/ Ersticken?" – „Welch einen Engel hattet Ihr gebildet,/ Den Euch nun andre so verhunzen werden!"). Er will sofort zu Recha eilen und sie auffordern, mit ihm zu fliehen, deutet in seiner Erregung sogar die Möglichkeit eines eigenen Religionswechsels an: „Und mir zu folgen; – wenn/ Sie drüber eines Muselmannes Frau/ Auch werden müßte." Nathan hält ihn zurück. Recha sei bei Sittah, er solle mit ihr zum Sultan kommen, dort werde er ihren Bruder treffen.

V,6–8: Die Lösung des Knotens – Aufdeckung der wechselseitigen Verknüpfungen der (Menschheits-)Familie

V,6: Sittah hat Recha empfangen und bewundert deren im Gespräch offenbar gewordene Klugheit und Frömmigkeit. Recha erwidert, nicht Büchern, sondern allein ihrem Vater verdanke sie ihr Wissen – diesem Vater, den man ihr jetzt nehmen wolle. Daja, eine Christin, die ihr die Mutter ersetzt, sie aber auch geängstet und gequält habe mit ihrem Missionseifer („… eine von den Schwärmerinnen, die/ Den allgemeinen, einzig wahren Weg/ Nach Gott zu wissen wähnen … / Und sich gedrungen fühlen, einen jeden,/ Der dieses Wegs verfehlt, darauf zu lenken"), diese Daja habe ihr unterwegs enthüllt, daß Nathan gar nicht ihr wirklicher Vater sei, daß sie von Christen abstamme. Wie tief sie von Dajas Mitteilung getroffen ist, zeigt ihre (in einen Chiasmus, eine umkehrende Wiederholung eingebettete) Anrufung Gottes am Schluß des Auftritts: „ … er nicht mein Vater!/ Gott! Gott! Er nicht mein Vater!"

V,7: Verzweifelt bittet sie den eintretenden Saladin um Hilfe. Saladin bestätigt ihr, daß nicht die Abstammung – „das Blut" – allein den Vater mache. Er bietet sich ihr scherzhaft als „dritter" Vater an, doch gebe es ja noch die bessere Möglichkeit, anstelle der Väter sich einem Jüngeren anzuvertrauen, und er habe diesen Jüngeren zusammen mit Nathan herbestellt. In diesem Augenblick werden ihm Nathans und des Tempelherrn Ankunft gemeldet.

V,8: Saladin kündigt Nathan die Rückgabe des geliehenen Geldes an. Doch das ist für diesen eine „Kleinigkeit" gegenüber den Tränen Rechas, aus denen er errät, was vorgefallen ist. Als sie auf seine Frage, ob sie noch seine Tochter sei, „Mein Vater!" ausruft und ihm bestätigt, daß ihr Herz „Keiner, keiner sonst!" habe, versteht der erregte Tempelherr das als Absage an seine Liebe; Saladin solle sich nicht weiter für ihn bemühen. Als Saladin und Sittah Recha ermuntern, dem jungen Ritter ihre Liebe zu gestehen, greift Nathan ein: Rechas Bruder habe hier mitzusprechen. „Äußerst erbittert" unterstellt der Templer Nathan betrügerische Absicht („Er hat ihr einen Vater aufgebunden: – wird/ Er keinen Bruder für sie finden?") Noch einmal erinnert ihn Saladin an seine verblendete Intoleranz („Christ!"), doch Nathan entschuldigt seine jugendliche Leidenschaft und beginnt die verwickelten Zusammenhänge der Herkunft aufzudecken. Des Ritters angegebener Name Curd von Stauffen sei nur sein Adoptivname nach dem Bruder seiner Mutter Conrad von Stauffen, den eigentlichen Namen – Leu von Filnek – habe er von seinem Vater Wolf von Filnek, der kein Deutscher gewesen sei – er, der Tempelherr, sei also selbst Rechas Bruder. Noch einmal muß der bestürzte Tempelherr aus seiner Verwirrung herausfinden. Seine letzte – und nicht die leichteste – Lernaufgabe ist es, auf seine Liebe zu Recha als Frau zu verzichten und sie dafür als Schwester anzunehmen. Dann erbittet er „demütig" Saladins Verständnis, dankt Nathan – er nehme ihm viel, gebe ihm aber „unendlich mehr" – und umarmt seine Schwester. Nicht ihren christlichen Geburtsnamen Blanda von Filnek will er gelten lassen, sie bleibe Nathans Recha. Nathan nennt daraufhin beide seine Kinder, sie umarmen ihn. Nathans Bemerkung, Wolf von Fil-

Recha bekennt sich zu Nathan

Nochmaliges Aufbegehren des Tempelherrn

Nathan deckt des Tempelherrn Herkunft auf

„Demütig" dankbare Einsicht des Tempelherrn

nek, der Vater Rechas und des Tempelherrn, sei kein Deutscher gewesen, hat Saladin in „unruhiges Erstaunen" versetzt. Als er von Nathan erfährt, dieser Wolf von Filnek habe am liebsten Persisch gesprochen, und auch die Handschrift im Gebetbuch wiedererkennt, hat er die Gewißheit – die Nathan ihm jetzt bestätigt –, daß es sein verschollener Bruder Assad war, der nach seinem Übertritt zum Christentum den deutschen Namen angenommen hatte. Mit Sittah bekennt sich Saladin zu Recha und dem Tempelherrn als seines Bruders Kindern. Unter wechselseitigen Umarmungen sieht der Tempelherr nun in der Blutsverwandtschaft früheste Kindheitserinnerungen bestätigt. Mit einer humorvollen Erwiderung Saladins, die freilich den blutigen Ernst der hier überwundenen Religionskämpfe noch latent enthält, schließt das Stück: „Seht den Bösewicht!/ Er wußte was davon, und konnte mich/ Zu seinem Mörder machen wollen!"

Rückblick auf den fünften Aufzug

Zielstrebig führt der fünfte Aufzug nach der Krise des vierten in drei Szenengruppen zur Lösung hin. Saladins Geldnot, das vorher handlungstreibende Motiv, das zu Saladins Begegnung mit Nathan und damit zur Ringparabel, zu Saladins ‚Erziehung' geführt hat, endet. In seinem selbstlosen Umgang mit diesem Geld spiegelt sich sein Glaube an die Besserung der Menschen, an die Möglichkeit ihrer Erziehung durch eigenes beispielhaftes Vorbild (V,1–2). Saladins Einfluß wirkt auch in einer neuen Selbstbesinnung des Tempelherren nach, scheint seine Erziehung zu erkenntnisvollem Ende zu führen (V,3), da stürzt ihn eine neue Begegnung mit Nathan in neue Verwirrung. Hatte er sich im vierten Aufzug in christlichem Trotz gegen Juden und Moslems verwahrt, so erkennt er in V,3 zwar die Einseitigkeit dieser Haltung und löst sich von ihr, fällt aber nun (in V,5) ins entgegengesetzte Extrem der scharfen polemischen Absage an alles Christliche – bis hin zur erregten Andeutung, die Religion zu wechseln. Erst in der letzten Szene des Dramas (V,8), nachdem er sich trotzig zurückziehen will und Nathan sogar des Betrugs verdächtigt, führt ihn die endgültige Enthüllung des Herkunftsgeheimnisses „demütig" zur Einsicht.

Das Gebetbuch Wolf von Filneks, das der Klosterbruder Nathan bringt (V,4), löst Nathan das Herkunftsrätsel. Sein Hinweis auf die Existenz eines Bruders Rechas, der sich – vielleicht sogar mit dem Bruder Sittahs – bei Saladin finden lasse (V,5) mag die Neugier des Lesers oder Zuschauers noch einmal steigern. Nach des Tempelherrn Erkenntnis, Rechas wahrer Vater bleibe „in Ewigkeit" Nathan (V,3), wirft Rechas Erschütterung über Dajas Mitteilung, Nathan sei nicht ihr wahrer Vater (V,6), nochmals das Problem wahrer Vaterschaft auf, die – so Saladin (V,7) – über die Vaterschaft des Blutes hinaus erst zu „erwerben" sei (wohl: durch liebevolle Pflege und Erziehung). Saladins Andeutung einer Verbindung zwischen ihr und einem, den er „hierher bestellt" habe, erweckt im Leser oder Zuschauer nochmals eine – allerdings irreführende – Erwartung (V,7), bis schließlich Nathans Aufdeckung der Verwandtschaftsverhältnisse die Lösung bringt. Recha und der Tempelherr erkennen sich als Geschwister, bekennen sich zu Nathan als ihrem geistigen Vater und umarmen ihre Blutsverwandten Saladin und Sittah (V,8).

Was, vordergründig betrachtet, als rührende Familienszene und geschickte Lösung eines Verwicklungsdramas erscheinen mag, wird hintergründig zum Sinnbild. Die durch Irrungen und Wirrungen getrennten, aber von Natur zusammengehörenden Bluts- und Geistesverwandten werden durch das Zusammenspiel wunderbarer Fügungen wieder vereint (vergleiche Nathans Ausführungen über das wahre Wunder in I,2 oder die verschiedenen Anspielungen auf die „Vorsehung", die „Vorsicht", z.B. in III,10, auf „Gottes Ratschluß, IV,7). Damit offenbaren sich Juden, Christen und Moslems als Glieder der einen, zusammengehörigen Menschheitsfamilie. Ihr Zusammenfinden

Die Aufdeckung des Herkunftsgeheimnisses

Wahre Vaterschaft

Die Symbolik der ‚Familienszene'

wird so gleichsam zur Utopie, zum vorausgespiegelten Modell eines erhofften Menschheitsweges: vom „Wahn" der Religionskämpfe führt vernunftgeleitete Erkenntnis und Selbsterziehung zur „Wahrheit" gegenseitiger Befreundung und Menschenliebe.

Mit dem Verhalten der Christen im Drama (Patriarch und Tempelherr, Klosterbruder und Daja) hält der Christ Lessing seinen Landsleuten, seinen Glaubensgenossen, seiner Kirche einen Spiegel vor: als Kritik zum einen, aber zugleich, und vor allem, als Hilfe zu lernender Einsicht. Der

Der Lernprozeß der Christen

junge Tempelherr, dessen mühsamer Lernweg alle fünf Aufzüge des Dramas durchzieht, wird dabei aus naiver Autoritätsgläubigkeit und gehorsamem Pflichtdenken zu einem neuen Bewußtsein geführt – zu einer auf gottgegebene Vernunft vertrauenden, selbstverantworteten Menschlichkeit.

Die neue Identität des Tempelherrn

Er findet darin wieder neue Identität – wird auf neue Weise wieder eins mit sich selbst und seiner Herkunft: „Ihr gebt/ Mir mehr, als Ihr mir nehmt! Unendlich mehr!" (V,8)

Zur Thematik

„Nathan der Weise" ist kein Geschichtsdrama; die Zeit der historischen Kreuzzüge ist nur der – verfremdende – Hintergrund, vor dem Lessing seine letzte dramatische Antwort gibt auf persönlich erfahrene Herausforderungen seiner Zeit. Aufklärung und Religionskritik, erfahrene Intoleranz und Unterdrückung von Minderheiten (besonders der jüdischen), kirchliche und staatliche Machtwillkür werden so zu Themen seines Dramas und münden in ein utopisches Leitbild – das Wunschbild einer Völker und Religionen verbindenden, bewußt gelebten Menschlichkeit.

„Nathan der Weise" als Drama der Aufklärung

Im engeren Sinn versteht man unter ‚Aufklärung' eine geistige Bewegung im 17. und 18. Jahrhundert, die – vor allem von England und Frankreich ausgehend – um die Mitte des 18. Jahrhunderts die intellektuelle Diskussion in Deutschland beherrschte. Im weiteren Sinn kann man diese Bewegung in einen Prozeß eingebettet sehen, der das Denken der Neuzeit begründete und heute noch andauert.

Aufklärung als Prozeß innerhalb der Neuzeit

Die politischen und religiösen Erschütterungen des späten Mittelalters forderten zu neuer Suche nach Wahrheit heraus. „Zurück zu den Quellen" wurde das Leitmotiv einer ersten Phase: Gemeint waren die Quellen der schriftlichen Überlieferung. Zum einen führte die Wiederentdeckung der griechischen und römischen Antike zu den Bewegungen der <u>Renaissance</u> und des <u>Humanismus</u> mit dem Leitbild des vollkommenen Men-

Erste Phase: „Zurück zu den Quellen"

45

schen durch die freie Entfaltung aller dem Menschen innewohnenden geistigen, schöpferischen und moralischen Kräfte. Zum anderen erwuchs aus dem neuen Studium der originalen biblischen Texte und ihrer Übersetzung in die Volkssprache die <u>Reformation</u> mit ihrem Leitbild des zwar unvollkommenen (sündigen), aber unmittelbar unter der Gnade Gottes stehenden Menschen.

Zweite Phase: „Mündigkeit" durch den Gebrauch der Vernunft

Leitmotiv der zweiten Phase – der ‚Aufklärung' im engeren Sinn – wurde die Wahrheitssuche mit Hilfe des selbständigen Denkens, der menschlichen Vernunft. Im noch auf Gott bezogenen Weltbild wird Vernunft (vom Verb ‚vernehmen'!) verstanden als das ‚lumen naturale', das natürliche Licht, das Gott dem menschlichen Verstand eingegeben hat. Geographische und astronomische Entdeckungen, Beobachtung und Erforschung der Natur bereiteten die auf Erfahrung und Experiment bezogene Vernunftmethode der Naturwissenschaften vor, den <u>Empirismus</u>; die Überzeugung, man könne zu grundlegenden Erkenntnissen kommen durch reines, schlußfolgerndes Denken, bestimmte die Vernunftmethode des philosophischen <u>Rationalismus</u>; vernunftbegründete Entwürfe zur gesellschaftlichen, politischen und wirtschaftlichen Emanzipation schlugen sich im <u>Liberalismus</u> nieder (Naturrecht, Toleranz, Gesellschaftsvertrag, Gewaltenteilung, Freihandel...). Zwei Jahre nach Lessings Tod, 1783, formulierte Immanuel Kant seine berühmte Definition der Aufklärung als „Ausgang des Menschen aus seiner selbstverschuldeten Unmündigkeit" – selbstverschuldet, wenn die Unmündigkeit „nicht am Mangel des Verstandes, sondern der Entschließung und des Mutes liegt, sich seiner ohne Leitung eines anderen zu bedienen".

Produktive Kritik

Wesentlicher Grundzug aller Aufklärung wird die produktive Kritik. In der Vorrede seiner „Kritik der reinen Vernunft" (1781, im Todesjahr Lessings erschienen) schreibt Kant: „Unser Zeitalter ist das eigentliche Zeitalter der Kritik, der sich alles unterwerfen muß. Religion durch ihre Heiligkeit und Gesetzgebung durch ihre Majestät wollen sich gemeiniglich derselben entziehen.

Aber alsdann erregen sie gerechten Verdacht wider sich und können auf unverstellte Achtung nicht Anspruch machen, die die Vernunft nur demjenigen bewilligt, was ihre freie und öffentliche Prüfung hat aushalten können."

1781 hatte Kant aber auch in dieser „Kritik der reinen Vernunft" die Grenzen rationaler menschlicher Erkenntnismöglichkeit nachzuweisen versucht. Zugleich forderten in den literarischen Bewegungen der ‚Empfindsamkeit' und des ‚Sturm und Drang' die nichtrationalen Seelenkräfte des Menschen ihr Recht gegenüber einer einseitigen Vorherrschaft eines verengten Rationalismus. Die Notwendigkeit einer erweiterten, die volle Spannweite von Intellekt und Emotionalität umfassenden Aufklärung wird damit sichtbar.

Der Begriff ‚Aufklärung' drückt bereits aus, daß es sich dabei um Bewegung, um einen Vorgang, um Veränderung handelt: ein Fortschreiten aus einem Zustand der Un‚klar'heit zu einem Zustand größerer ‚Klar'heit. Die darin verborgene Lichtmetapher ist in den englischen und französischen Ursprungsbegriffen noch deutlicher erkennbar (‚enlightenment' und ‚les lumières'): der Dreischritt aus dem Dunkel der Unwissenheit und des Aberglaubens über die Vernunft zum Licht besserer Einsicht und Erkenntnis. Die Idee der Aufklärung beruht also auf einem Glauben an die Möglichkeit des Fortschritts der Menschheit durch die Kraft des Denkens. Der in der Lichtmetaphorik enthaltene positive Aspekt verrät zudem den Glauben an einen guten Kern des Menschen und damit an die Möglichkeit eines moralischen Fortschritts, wenn dieser Kern sich entfalten kann. Ziel dieses Entfaltens sind die Tugenden bester Menschlichkeit – das ‚Humanitätsideal'. Im Individuum, im Einzelmenschen muß deshalb die Veränderung beginnen und von ihm aus auf das Zusammenleben einwirken. Das kann wiederum befördert werden durch eine entsprechende Rolle der Erziehung – der Erziehungsgedanke bewegt die Zeit: Erziehung nicht nach überlieferten Autoritäten, sondern gemäß der als vernünftig erkannten Natur des Menschen zur Einsicht, zu

Grenzen der reinen Vernunft

Intellekt und Emotionalität

‚Aufklärung' als Vorgang

Lichtmetapher

Fortschritt der Menschheit

Humanitätsideal

Rolle der Erziehung

nützlichem Handeln, zur Menschenliebe.

Lessing als Aufklärer

Lessing begegnete den Ideen der Aufklärung bereits als Student in Leipzig und als junger Schriftsteller in Berlin und setzte sich mit ihnen bis an sein Lebensende auseinander. So sehr er auch ‚Aufklärer' war, läßt er sich doch keiner der philosophischen Denkschulen der Aufklärung voll zuordnen – als eigenständiger Denker gebraucht er seinen eigenen Verstand. Aufklärung ist für ihn aktives Handeln und damit auch ein ständiges Selbstexperiment des eigenen Weiterlernens und Weiterdenkens. Die Suche nach der Wahrheit ist ihm darum wichtiger als die fragwürdige Behauptung, sich im Besitz der Wahrheit zu wähnen; er gibt kein fertiges systematisches Gedankengebäude, sondern herausfordernde Denkanstöße (als ‚Hypothesen'). Wolfgang Ritzel vertritt in seinem Lessing-Buch (1966) die These: „Die Logik, an die Lessing sich in bedeutsamen Zusammenhängen hält, ist eine solche des sowohl/als auch." Das ist freilich kein bloßes Nebeneinander-Geltenlassen unterschiedlicher Ansätze, sondern im dialektischen Dreischritt Weiterentwicklung. Wir beobachten das an Lessings Verhältnis zur Tradition: Er nimmt sie auf und verwandelt sie zugleich in einem kritisch-schöpferischen Prozeß in Neues, hebt sie gleichsam empor auf eine integrative höhere Ebene. Inwieweit sein Spätwerk „Nathan der Weise" ein Drama der Aufklärung ist, inwieweit Lessing selbst die Aufklärung damit weiterführt, Einseitigkeiten überwindet, mögen die folgenden Beobachtungen zeigen.

„Nathan der Weise" als Erziehungsdrama

„Nathan der Weise" ist ein Erziehungsdrama. Erzogen werden Einzelmenschen zum Denken „guter Menschen" (II,5): Nathan hat sich selbst erzogen (IV,7), er erzieht Recha (I,2), Saladin (III,7) und – mit Rechas und Saladins Hilfe – den Tempelherrn (II–V). Diese Erziehung ist eine Erziehung vom „Wahn" über die erkennende Einsicht der „Vernunft" zur „Wahrheit" hin (I,1). Vernunft, Einsicht, Erkenntnis nehmen eine zentrale Rolle ein. Mit ihrer Hilfe überwindet Nathan „unversöhnlichsten Haß", Recha den „süßen

Wahn" übersinnlichen Wunderglaubens, Saladin die fallenstellende Klugheit wie das Vorrangdenken seiner Religion, der Tempelherr die bloße (unmündige) Pflicht- und Gehorsamsethik und militante religiöse Intoleranz. Wenn der Patriarch mit dem ersten seiner spitzfindigen Argumente in IV,2 den Gebrauch der Vernunft einschränken will, offenbart er damit die negativ gezeichnete Gegenposition: einen Herrschaftsanspruch, der Menschen in unmündiger Abhängigkeit halten will. Unter diesen Aspekten erscheint der „Nathan" als ein exemplarisches Werk der Aufklärung.

Zugleich ist der im Drama vorgeführte Weg der Erziehung ein aufklärerischer Weg im besten Sinn. Erkenntnis wird nicht aufgepfropft, nicht als fertiges Denksystem doziert, sondern in Dialogen entfaltet, in denen die Partner, als Menschen ernst genommen, ohne Zwang aus ihrer jeweiligen Position heraus provozierende Denkanstöße bekommen, die sie selbst zu vernünftiger Einsicht weiterführen: Eigenes Weiterdenken führt Recha, Saladin, den Tempelherrn allmählich zu eigener Erkenntnis. Der Lernprozeß ist aber mit der Erkenntnis nicht abgeschlossen. Indem letzte Fragen der Wahrheit offen bleiben, wird auf die Bewährung der Erkenntnis im praktischen Handeln verwiesen (Ringparabel!). Rationalismus, Empirismus, Liberalismus fließen so zusammen, die Grenzen der „reinen" Vernunft werden aufgehoben in der „praktischen" Vernunft – Aufklärung im verengten nur-rationalistischen Sinn damit auch bereits erweitert.

Der dialogische Weg der Erkenntnis

Bewährung im praktischen Handeln

Überwindung verengter Aufklärung

Dabei bleibt das Handeln der Figuren nicht allein vernunftbestimmt. Nathans Liebe zu Recha, seine Angst, sie als ‚Vater' zu verlieren, zeigen Empfindungen. Seine Erziehung Rechas gelingt erst dann ganz, als er neben ihrer Vernunft auch ihre Phantasie und ihr Fühlen anspricht: ihr Retter könnte – als Mensch, nicht als Engel – krank sein und der Hilfe bedürfen (I,2). Der Tempelherr beruft sich dem vom Klosterbruder übermittelten Ansinnen des Patriarchen gegenüber nicht nur auf „gebotene" moralische Gründe („Gott aber und der

Vernunft und Fühlen

Orden [...] gebieten mir kein Bubenstück"), sondern auch darauf, daß etwas in seiner „Seele" der
äußeren Ähnlichkeit mit Saladins Bruder entspreche (I,5). Saladin wird von der inneren Wahrheit
der Ringparabel erst dann voll überwältigt, als
sich die Vernunfterkenntnis mit der bis zur inneren Erschütterung gesteigerten persönlichen Betroffenheit verbindet (III,7). Diese Bedeutung des
menschlichen Fühlens, der Emotionalität, kann
auf Überwindung eines eng rationalistischen Verständnisses der Aufklärung hinweisen.

**Das Humanitäts-
ideal im „Nathan"
Nathan als
Leitfigur**

Damit spiegelt Lessing im „Nathan" auch das
Humanitätsideal der Aufklärung auf seine Weise.
Nathan selbst ist eine Leitfigur. In seiner Selbstüberwindung nach der Ermordung seiner Familie
durch Christen, mit der Aufnahme Rechas, in seinem Verhältnis zu materiellem Besitz und Geld,
mit seinem erzieherischen Wirken verkörpert er
beste Menschlichkeit. Und überall da, wo das

**Das Schlüsselwort
„Mensch"**

Schlüsselwort „Mensch" im Drama in den Vor-
dergrund tritt, wird dieses Menschenbild ent-
faltet. Recha wird auf den vielleicht hilfebedürf-
tigen „Menschen" verwiesen (I,2). Der Derwisch
Al Hafi könnte „grad unter Menschen ... ein
Mensch/ Zu sein verlernen" (I,3). Der Tempelherr
soll „wie ein guter Mensch denken" lernen, und
Nathans Ausruf „Ah! wenn ich einen mehr in
Euch/ Gefunden hätte, dem es gnügt, ein Mensch/
Zu heißen!" begründet die Freundschaft zwischen
beiden (II,5). Im Dialog mit Al Hafi (I,3) spielt
Nathan auf die Freiheit des Menschen an: „Kein
Mensch muß müssen, und ein Derwisch müßte?"
Und Al Hafis Antwort „Warum (=worum) man
ihn recht bittet,/ Und er für gut erkennt: das muß
ein Derwisch" bindet den praktischen Gebrauch
dieser Freiheit zum einen an die kritische Prüfung
der jeweiligen Situation („und er ... erkennt")
und dazuhin an die Verantwortung gegenüber einem sittlichen (ethischen) Prinzip (dem „für gut"
Erkannten). Damit trifft er Nathan im Kern seiner eigenen Erfahrung (vgl. IV,7). Nathans Ausruf
„Bei unserm Gott!" zeigt das ebenso wie seine
Reaktion „Laß dich umarmen, Mensch". Nathan
findet so im Denken des Derwischs über die

Schranken der Religionen hinweg (Al Hafi: „Beim Propheten!", Nathan „Bei unserm Gott!") nicht nur den alten Freund, sondern auch den Gesinnungsgenossen, den „Menschen".

Als imperativische Aufforderung formuliert Nathan die Leitgedanken idealer Menschlichkeit im Rat des Richters der Ringparabel: unbestochene, von Vorurteilen freie Liebe, Sanftmut, herzliche Verträglichkeit, Wohltun und innigste Ergebenheit in Gott (III,7). Daß auch Sultan Saladin nach seiner Erschütterung durch die Ringparabel solche Menschlichkeit praktiziert, zeigt sein anschließender Umgang mit Nathan und sein Verhalten in der Schlußszene.

Nathan formuliert
den Rat des
Richters in der
Ringparabel

Saladins
Menschlichkeit

Theologiekritik und Religionsidee

Die Suche nach Wahrheit in den Quellen der biblischen Überlieferung hatte zur Auseinandersetzung mit der katholischen Kirchenlehre und zur Reformation geführt; die Lehre von der Bibel als Offenbarung Gottes war wiederum zum festen Dogma der protestantischen Kirche geworden. Die neue Wahrheitssuche, die sich auf die menschliche Vernunft berief, mußte konsequenterweise die Aussagen der Bibel wie die des Dogmas vom Vernunftdenken her befragen. Ließ sich die Existenz Gottes, sein Wirken in der Natur, in der Geschichte, in der menschlichen Vernunft rational begründen? Waren die Aussagen der Bibel ein unmittelbares Diktat des Heiligen Geistes oder von Menschen verfaßte, kritisch zu prüfende Berichte? War Jesus Gottes Sohn oder ein hervorragender Mensch, konnte seine Botschaft vernunftgeleitetem Denken einleuchten?

Unterschiedliche Antworten auf diese Fragen führten zu leidenschaftlichen Auseinandersetzungen, aus Glaubensgründen, aber auch aus politischen Gründen, denn die Grundlagen der Kirche wie des absolutistischen Staates schienen bedroht. Theologische Schriften waren bis zum

Biblische Wahrheit

Vernunftwahrheit

Fragen der
Aufklärung

Ende des 18. Jahrhunderts die am häufigsten ge-
druckten Themen. Die Vertreter der strenggläubi-
gen Orthodoxie (der ‚richtigen Lehre') lehnten alles ‚Vernünfteln' ab. Die Vertreter der sogenannten Neologie versuchten, die Wahrheit der biblischen und dogmatischen Aussagen mit rationalistischen Argumenten zu verteidigen. Ein radikal
aufklärerischer Versuch, das Christentum auf
eine „natürliche" Vernunftreligion zurückzufüh-
ren, war die religionsphilosophische Strömung
des Deismus, die sich im 17. und 18. Jahrhundert,
von England ausgehend, über Frankreich in ganz
Europa ausgebreitet hatte: Gott als außerweltli-
ches intelligentes Wesen hat die Welt erschaffen
und mit vernünftigen Naturgesetzen ausgestattet.
Wie ein Uhrwerk läuft sie nun ohne sein weiteres
Eingreifen ab; übersinnliche Wunder und Offenbarung haben daher keinen Platz darin. Die
menschliche Vernunft ist damit das einzige Instrument, die Welt und die Existenz Gottes zu er-
schließen; notwendige Tugend ist der vernünftige
Umgang mit der Welt und den Mitmenschen (wie
ihn auch Jesus lehrte); Vernunft und Tugend sind
daher die Grundlagen aller Religion. Gegen diese
deistische Trennung von Gott und Welt wandten
sich wiederum die – besonders von Holland (Spi-
noza) ausgehende – Religionsphilosophie des Pantheismus (Gott wird mit der Natur gleichgesetzt)
und die Denkrichtung des Panentheismus (die
Natur ruht in Gott, doch Gott ist mehr als die
Natur). Der in der französischen Philosophie der
Aufklärung sich anbahnende Atheismus – die
Leugnung der Existenz eines göttlichen Wesens
überhaupt – fand in Deutschland noch wenig Zu-
spruch.

Orthodoxie

Neologie

Deismus

Pantheismus

Panentheismus

Atheismus

**Lessing und die
christliche
Tradition**

Lessing wuchs in der christlichen Tradition des
väterlichen evangelisch-lutherischen Pfarrhauses
und der Fürstenschule St. Afra in Meißen auf.
Auch wenn er das Studium der Theologie in
Leipzig, das er als Siebzehnjähriger auf Wunsch
des Vaters begann, ein Jahr später abbrach, be-
stimmten theologische Fragen von seinen frühe-
sten Schriften an einen großen Teil seines Werkes

und beschäftigten ihn vorwiegend im letzten Jahrzehnt seines Lebens. Suche nach Wahrheit – herausgefordert durch die Ideen der Aufklärung – war für ihn auch Suche nach religiöser Wahrheit, nach der Wahrheit des Glaubens. „Ich bin Liebhaber der Theologie, nicht Theologe", schrieb er über sich selbst. Sein selbständiges Denken läßt sich keiner der religionsphilosophischen Richtungen der Aufklärung voll zuordnen. Er entwickelt kein eigenes geschlossenes Gedankensystem, sondern stellt kritische Fragen in alle Richtungen. Als hypothetische Denkmöglichkeiten zum Weiterdenken (häufig in Fragen, in konjunktivischer Möglichkeitsform, in dialogischer Einkleidung vorgetragen) versteht er auch sein Spätwerk, das Ergebnisse seiner Theologiekritik und seiner Religionsidee zusammenfaßt: die thesenhafte Abhandlung „Die Erziehung des Menschengeschlechts", den Dialog „Ernst und Falk. Gespräche für Freymäurer" und das Drama „Nathan der Weise".

Wahrheitssuche

Selbständiges Denken

Denkmöglichkeiten als Herausforderungen

Vorbereitet wurden diese letzten Werke durch den sogenannten Fragmentenstreit. In den vierziger Jahren des Jahrhunderts hatte der Hamburger Orientalist und Gymnasialprofessor Hermann Samuel Reimarus den Deismus gegen die orthodoxen Angriffe in einer umfangreichen „Apologie oder Schutzschrift für die vernünftigen Verehrer Gottes" verteidigt. Er hatte allerdings noch nicht gewagt, diese Schrift zu veröffentlichen. Lessing, der mit der Familie des Reimarus befreundet war, will ein öffentliches Forum für die Diskussion der widerstreitenden Thesen schaffen und gibt – nach Reimarus' Tod – 1774 und 1777/78 Auszüge aus der Schrift heraus, getarnt als Funde aus der Wolfenbütteler Bibliothek, als „Fragmente eines Ungenannten".

Der Fragmentenstreit

„Fragmente eines Ungenannten"

Im 1774 veröffentlichten Fragment geht Reimarus von der These aus, die reine Lehre Christi enthalte „eine vernünftige praktische Religion", wie sie auch von den „vernünftigen Verehrern Gottes" vertreten werde. Erst die Apostel hätten diese reine Lehre Christi zu einem Glaubenssystem gemacht, das der vernünftigen Einsicht nicht mehr zugänglich sei. Sie hätten einerseits das „jüdische

Die Religionskritik des Reimarus

System von dem Messias und von der Göttlichkeit der Schriften Mosis und der Propheten" übernommen und andererseits Wundergeschichten in ihre Berichte eingefügt. Die Unvollkommenheiten dieses Systems hätten wiederum den Nachkommen Gelegenheit gegeben, immer mehr „Glaubensbücher, Geheimnisse, Zeremonien und Glaubensformeln zu stiften". (Beispiele für solche später gestifteten Glaubensartikel enthält das zweite der 1777 veröffentlichten Fragmente: die Lehren „von der Dreieinigkeit Gottes, von der Gottheit Jesu, von den Verheißungen des Messias, von der Gnadenwahl, von der Rechtfertigung, von der Taufe, vom Abendmahl, von dem Ansehen der Kirchen usw.")

In den 1777 veröffentlichten fünf Fragmenten argumentiert Reimarus gegen die Angriffe auf die Vernunft von den Kanzeln, die die Menschen zum Gehorsam eines blinden Glaubens führen. Er versucht zu beweisen, daß es unmöglich eine Offenbarung geben könne, die für alle Menschen auf begründete Art glaubhaft sei. Er zeigt auf, wie unglaubwürdig Wundergeschichten wie die vom Durchgang der Israeliten durchs Rote Meer seien. Er bestreitet, daß die Bücher des Alten Testaments geschrieben worden seien, eine Religion zu offenbaren. Schließlich führen ihn die widersprüchlichen Berichte über die Auferstehung Jesu zu der Vermutung, es könne sich dabei um ein Betrugsmanöver der Apostel gehandelt haben.

Widerspruch der Orthodoxen

Hauptpastor Goeze

Reimarus' Kritik an der gesamten christlichen Offenbarungslehre erregt scharfen Widerspruch bei Vertretern der Orthodoxie. Ihr Hauptsprecher wird der Hamburger Hauptpastor Melchior Goeze. Sie vertreten die These der Verbalinspiration. Danach sind die Verfasser der biblischen Texte vom Heiligen Geist inspiriert, die Texte also Offenbarungen Gottes. Infolgedessen ist jedes Wort wahr, auch die Wundererzählungen. Die Texte entziehen sich damit jeder Kritik durch die Vernunft. Jede kritische Betrachtung der Bibel ist demnach bereits Glaubenskritik.

Lessings Position

Lessing gibt in seinen Kommentaren zu jedem der Fragmente, den „Gegensätzen des Herausgebers", deutlich zu erkennen, daß er sich mit den deistischen Thesen des Reimarus nicht voll identifiziert. Er kämpft aber auch mit aller Schärfe gegen die für ihn nicht stichhaltigen Argumente der Orthodoxen wie auch der Neologen. Fast noch schlimmer als die Verdammung der Vernunft von den Kanzeln seien die neuerlichen Versuche der Neologen, den Offenbarungsglauben mit der Vernunft zum „innigen Bande" zu verknüpfen. (Reimarus widerlegt solche zweifelhaften Versuche, z.B. den trockenen Durchzug der Israeliten durchs Rote Meer mit einem starken Ostwind zu erklären, der eine doppelte Ebbe hervorgerufen haben könnte, usw.) Gegen die unbedingte Buchstabengläubigkeit setzt Lessing die Berechtigung einer historischen Textkritik der Bibel (ohne dabei an der Existenz und am Wirken Gottes zu zweifeln). Seine Begründung:

> „Kurz: der Buchstabe ist nicht der Geist; und die Bibel ist nicht die Religion. Folglich sind Einwürfe gegen den Buchstaben, und gegen die Bibel, nicht eben auch Einwürfe gegen den Geist und gegen die Religion. Denn die Bibel enthält offenbar mehr als zur Religion Gehöriges: und es ist bloße Hypothese, daß sie in diesem mehrern gleich unfehlbar sein müsse. Auch war die Religion, ehe eine Bibel war. Das Christentum war, ehe Evangelisten und Apostel geschrieben hatten ..." (Gegensätze des Herausgebers)

Der Buchstabe ist nicht der Geist

Lessing versteht sich als Vorläufer „eines echten Verteidigers der Religion" (Gegensätze...). Er will den Geist des Christentums wieder freilegen. Nicht historische Kritik gefährdet den Glauben, sondern die Sucht nach scheinbaren Gewißheiten. Solche zweifelhaften Gewißheiten will er zur Diskussion stellen. Deshalb glaubt er, durch die „Bekanntmachung" der Fragmente „der christlichen Religion ... einen größeren Dienst erwiesen zu haben" als Goeze mit allen seinen „Postillen und Zeitungen" (Erster Anti-Goeze, 1778).
Der Fragmenten- oder Goeze-Streit, der weite Teile der intellektuellen Öffentlichkeit in Norddeutschland und selbst in Holland und der Schweiz erfaßt, steigert sich im ersten Halbjahr

Den Geist des Christentums freilegen

1778 zu einer der aufregendsten Polemiken des
Jahrhunderts. Lessings Gegner wählen, da man
den Verfasser der „Fragmente" nicht kennt, mehr

**Polemik gegen
Lessing**

und mehr den Herausgeber Lessing zur Zielschei-
be persönlicher Angriffe. Da sich die Kirche als
Garant gesellschaftlicher Normen versteht, sugge-
riert Goeze der absolutistischen weltlichen Obrigkeit die Gefährdung der Grundlagen der staatlichen Ordnung durch Lessing. Lessings Dienstherr,

**Verbot weiterer
Veröffentlichungen**

der Herzog von Braunschweig, verbietet ihm daraufhin weitere Veröffentlichungen zu dieser Thematik und unterwirft alle Druckschriften fortan
scharfer staatlicher Zensur. Lessing wählt sein
altes Feld der dramatischen Dichtung als Aus-

**„Nathan" als
Ausweg**

weg, seine Gedanken weiterzugeben. Er schreibt
das ‚dramatische Gedicht' „Nathan der Weise".

**Gotteserfahrung im
„Nathan"**

Gott existiert: dieser Glaube durchzieht das Drama, und Gott ist nicht jener ferne Weltenbaumei-
ster der Deisten, sondern er wird persönlich erfahren. So finden sich die mehrfachen, aber doch
im ganzen sparsam gesetzten Ausrufe „Gott!", „o
Gott!", „Bei unserm Gott!" nur an Stellen, in denen innerste Betroffenheit, Ahnung letzter Wahrheit deutlich wird (z.B. Nathan in I,1; I,3; Saladin
in III,7; Nathan in IV,7; V,4 ...). Kernstelle für
dieses personale Verhältnis zu Gott dürfte Nathans Bericht über sein eigenes Schicksal sein
(IV,7). Nachdem Christen seine Familie ermordet
hatten, habe er „in Asch'/ Und Staub vor Gott
gelegen", mit Gott „gerechtet,/ Gezürnt, getobt",
– „Doch nun kam die Vernunft allmählich wieder./ Sie sprach mit sanfter Stimm': ‚und doch ist
Gott! Doch war auch Gottes Ratschluß das!...'".
Nathan erlebt und lebt damit die Forderung der
Ringparabel, die „innigste Ergebenheit in Gott".

**Gott als Lenker der
Geschichte und der
Schicksale
einzelner**

„Doch war auch Gottes Ratschluß das!": Nathan
sieht Gott als den, der auch mit jedem einzelnen
Menschen seine Geschichte hat, so wie er die Geschichte im Ganzen lenkt (Nathan über die Bena-
digung des Tempelherrn durch Saladin: „... dem
nur möglich, der die strengsten/ Entschlüsse, die
unbändigsten Entwürfe/ Der Könige, sein Spiel
– wenn nicht sein Spott – / Gern an den schwäch-

sten Fäden lenkt"). Dieses Bild des Fadenlenkers im Marionettentheater besagt aber offenbar nicht, daß damit das Verhalten der Menschen völlig festgelegt, vorherbestimmt, determiniert wäre, daß es keine Freiheit gäbe – die Aufforderung am Schluß der Ringparabel, den Wahrheitsanspruch der Religionen im praktischen Tun zu beweisen, wäre sonst sinnlos. Gott (auch: die „Vorsicht", die göttliche Vorsehung, genannt, z.B. III,10; IV,7) gibt die Anstöße, die Möglichkeiten, die Herausforderungen, die Hilfen – die Freiheit, der ‚Spielraum' des Handelns, bleibt den Menschen offen.

Die Freiheit menschlichen Handelns

Das Paradoxon – der scheinbare Widerspruch – in Nathans Anruf an Gott „Ich will!/ Willst du nur, daß ich will!" entspricht zunächst dem Wissen, daß die Freiheit menschlichen Handelns in der Welt eingebunden ist in die Bedingungen, aus denen diese Welt existiert. Es enthält damit die Bitte, die Kraft zum Wollen und Vollbringen zu finden. Darüber hinaus drückt es den Wunsch aus, in Einklang mit Gottes (der Vorsehung) Willen in der Welt zu kommen – die eigene freie Entscheidung wird der letztlichen Entscheidung Gottes unterworfen.

„Ich will!/ Willst du nur, daß ich will!"

Daß Gottes Vorsehung selbst aus negativem menschlichen Verhalten Gutes entstehen lassen könne, spricht Nathan aus: „Dank sei dem Patriarchen" (V,5); denn erst durch den Auftrag des Patriarchen an den Klosterbruder, den Juden ausfindig zu machen, trifft Nathan den ehemaligen Reitknecht wieder und erhält von ihm das Gebetbuch Assads, das die Herkunftsverhältnisse beweist. (Und Lessings „Nathan" selbst verdankt sich letztlich dem durch Goeze bewirkten Schreibverbot.)

Das „Böse" in Gottes Vorsehung

Dazu braucht Gott keine übernatürlichen Wunder und Offenbarungen, sondern seine „wahren, echten Wunder" sind die natürlichen Gegebenheiten und im Rahmen dieser Gegebenheiten ablaufende Vorgänge. Nathans engagierte Belehrung Rechas und Dajas (I,2) setzt damit Lessings Auseinandersetzung mit der biblischen Buchstabengläubigkeit (hier: der biblischen Wunderberichte) der orthodoxen Dogmatiker fort. Indem Gottes Geist „na-

„Wahre, echte Wunder"

türlich" in der Natur wirkt, ist bereits das natürliche Geschehen eine Offenbarung Gottes für den,
der es zu sehen bereit ist. Und bloßes „Fühlen"

„Gut Handeln"
statt „Schwärmen"

und „andächtiges Schwärmen" sind Gefahren, die
vom notwendigen „Tun", dem „guten Handeln"
ablenken.

Vernunft als
natürliche Offen-
barung Gottes

Auch die menschliche Vernunft ist für Nathan
eine solche natürliche Offenbarung Gottes. Schon
der Patriarch gibt den göttlichen Ursprung der
Vernunft zunächst zu (IV,2): „die Vernunft, die
Gott ihm gab", entwertet sie aber in durch Macht-
interesse bestimmter Dialektik: „ … wer darf/
Sich da noch unterstehn, die Willkür des,/ Der
die Vernunft erschaffen, nach Vernunft/ Zu un-
tersuchen?" Und als der Tempelherr ihm andeu-
tet, der Jude habe sein Kind „in keinem Glauben
auferzogen,/ Und sie von Gott nicht mehr, nicht
weniger/ Gelehrt, als der Vernunft genügt", greift
der Patriarch bereitwillig diese Formulierung als
Widerspruch zwischen Vernunft und Glauben
auf: „Wie? die große Pflicht,/ Zu glauben, ganz
und gar ein Kind nicht lehren?/ Das ist zu arg!"
Doch wenn Nathan die Vernunft (in IV,7) perso-
nifiziert, sie wiederkommen und sogar „mit sanfter Stimm'" sprechen und auf Gottes Existenz
und Ratschluß hinweisen läßt, so wird sie gleichsam als menschlicher Anteil an der allmächtigen
Vernunft Gottes legitimiert, der Widerspruch
zwischen Vernunft und Glauben somit aufgehoben.

Der Rat des
Richters in der
Ringparabel

Die acht Verse von „Es eifre jeder …" bis „ … zu
Hilf!" enthalten den Kern der Lessingschen Um-
formung der Ringparabel (vgl. S. 116ff) und damit offenbar auch seiner Religionsauffassung.
Nicht in den Ringen als Besitzgegenständen (und
das heißt: nicht in der Dogmatik der Religionen)
liegt die Kraft, sondern im persönlichen, handeln-
den Engagement der Menschen. Vorurteile sollen
überwunden, die Liebe als Kernforderung der
drei Offenbarungsreligionen entdeckt und diese
Liebe in drei Richtungen ausgeübt werden: „Sanftmut" bedeutet Arbeit an sich selbst in Richtung
auf Mäßigung, Selbstbeherrschung; „herzliche
Verträglichkeit" und „Wohltun" beziehen sich auf

das Verhältnis zum Nächsten, zu den Mitmenschen; „innigste Ergebenheit in Gott" ist die vertrauensvolle Anerkennung und Annahme der höchsten Instanz, auf die sich die drei Religionen zurückbeziehen. Vergleichen wir diese Aufforderungen mit der Botschaft Jesu, mit seiner Formulierung des „höchsten Gebotes" (Matthäus 22): „Du sollst den Herrn, deinen Gott, lieben von ganzem Herzen, von ganzer Seele und von ganzem Gemüt ... Das andere aber ist dem gleich: Du sollst deinen Nächsten lieben wie dich selbst." Unschwer erkennen wir die Parallelen. Nicht um ein Dogma des Wesens Jesu geht es Lessing, sondern um den hier als Wahrheit eingesehenen Kern, den „Geist" des christlichen Evangeliums.

Vergleich mit dem „höchsten Gebot" des Neuen Testaments

Lessing läßt den Juden Nathan diese Aufforderung aussprechen und den Moslem Saladin erschüttert ihre innere Wahrheit erkennen – nicht, daß sie damit zu Christen würden, sondern weil sie sie als Kernforderungen ihrer eigenen Religionen sehen. Nicht bloße gegenseitige Duldung, sondern Erkenntnis dieses gemeinsamen Kerns der großen Religionen ist also die Religionsidee des „Nathan". Die Unterschiede zwischen den Religionen erklärt Nathan aus ihren unterschiedlichen geschichtlichen Wurzeln. Sie sind begründbar, vertretbar, brauchen nicht aufgegeben zu werden, aber letztlich nur äußerliche Schalen: sie dürfen den entscheidenden Kern nicht ersticken.

Gemeinsamkeit der Kernforderungen der großen Religionen

Unterschiede sind geschichtlich begründete äußere Schalen

Toleranz

„Nathan der Weise" wird gerne als Drama der Toleranz bezeichnet: es rufe zu gegenseitiger Duldung der Religionen auf. Diese Erklärung bleibt freilich oberflächlich, wie der aufmerksame Leser schon feststellen konnte.

Daß die Forderung nach Toleranz zum Leitbegriff der Aufklärung wurde, läßt sich unter zwei Gesichtspunkten erklären. Zum einen war Toleranz ein Gebot der taktischen Vernunft: politisch zur

Toleranz als Leitbegriff der Aufklärung

Gebot der taktischen Vernunft

Erhaltung des Friedens nach einer Periode mörderischer Religions- und Bürgerkriege; gesellschaftlich zur Sicherung des Eigeninteresses des selbstbewußt gewordenen Bürgers; wirtschaftlich als Notwendigkeit für den rapide sich ausdehnenden Welthandel. Zum anderen erwuchs die Forderung nach Toleranz aus dem zum Humanitätsideal gesteigerten humanistischen Menschenbild, das die Würde des einzelnen Menschen in den Vordergrund gerückt hatte und darum konsequenterweise die „Mündigkeit" des Menschen und damit die „Menschenrechte" verlangte, die sich wiederum ohne Toleranz – die Selbstbeschränkung auf Gegenseitigkeit – nicht verwirklichen lassen.

Humanitätsideal

Neue Tugend

Toleranz wurde damit zu einer neuen Tugend, denn vorher hatte sie nur als Schwäche, als Feigheit gegenüber dem „Falschen", dem „Irrtum", dem „Bösen" gegolten. Jetzt konnte sich Toleranz gleichsam in drei Stufen entfalten. Die unterste war die eines mehr passiven Toleranzverständnisses: die bloß äußerliche, nachsichtige Duldung des Andersartigen, sei es aus bloßer Gleichgültigkeit (Indifferenz), aus taktischem Nützlichkeitsdenken (Opportunismus) oder auch aus karitativer Nächstenliebe, ohne innere Auseinandersetzung, ohne die eigene Position in Frage zu stellen. Man ist im Besitz der Macht oder glaubt sich im Besitz der Wahrheit, zwingt aber dem anderen die eigene Normvorstellung nicht auf, gesteht ihm einen Freiraum zu. Nur um diesen Freiraum geht es z.B. Reimarus in seiner Schrift (vgl. S. 53). Solche bloß nachsichtig duldende Toleranz bleibt immer gefährdet, kann von der Macht jederzeit widerrufen werden. Auch das Veröffentlichungsverbot für Lessing ist ein Beispiel dafür. Die zweite Stufe – Toleranz als Selbstbeschränkung auf Gegenseitigkeit – verlangt darüber hinaus Achtung und Anerkennung der Gleichberechtigung im Anderssein, was freilich immer noch mit innerer und äußerer Distanz verbunden sein kann. Auf dieser Stufe beruht die Toleranzforderung im Grundgesetz der Bundesrepublik Deutschland (seit 1949): „Niemand darf wegen

Bloße Duldung

Anerkennung der Gleichberechtigung

seines Geschlechtes, seiner Abstammung, seiner Rasse, seiner Sprache, seiner Heimat und Herkunft, seines Glaubens, seiner religiösen und politischen Anschauungen benachteiligt oder bevorzugt werden." Denkbar ist aber auch eine dritte Stufe, eine Stufe aktiver, konstruktiver Toleranz. Das würde heißen, in einen Dialog einzutreten, die Vorstellungen und Lebensweise des anderen als Herausforderungen für eigenes Lernen anzunehmen, sie zu prüfen auf das, was ihnen vielleicht an gemeinsamer Wahrheit innewohnt, und mögliche eigene Vorurteile zu erkennen und zu korrigieren.

Dialog und Herausforderung für eigenes Lernen

Der Begriff „Wahrheit" gewinnt damit eine andere Bedeutung. Solches dialogisches Vernunftdenken ist nie fertig, sondern immer unterwegs. Niemand kann behaupten, im Besitz der einen absoluten, objektiven Wahrheit zu sein (die nur Gott zukäme), sondern die erkennbaren, historisch und subjektiv bedingten Wahrheiten sind Teilwahrheiten, die sich gegenseitig im Dialog, im zwischenmenschlichen Austausch von Meinungen, korrigieren und ergänzen müssen. Gemeinsame Suche nach Wahrheit ist die dauernde Aufgabe, denn Wahrheit ist nicht (statisch) besitzbar, sondern nur (dynamisch) erfahrbar und muß sich im jeweiligen Handeln bewähren. Das ist Lessings Position:

Anderer Wahrheitsbegriff

> „Nicht die Wahrheit, in deren Besitz irgendein Mensch ist oder zu sein vermeint, sondern die aufrichtige Mühe, die er aufgewandt hat, hinter die Wahrheit zu kommen, macht den Wert eines Menschen aus. Denn nicht durch den Besitz, sondern durch die Nachforschung der Wahrheit erweitern sich seine Kräfte, worin all seine immer wachsende Vollkommenheit bestehe. Der Besitz macht ruhig, träge, stolz."

Und: „Wenn man auch nur <u>einem</u> verbieten will, seinen Fortgang in der Erkenntnis anderen mitzuteilen", hindere man „<u>alle</u>" daran, formuliert Lessing in seinem ersten „Anti-Goeze". „Denn ohne diese Mitteilung im einzelnen ist kein Fortgang im ganzen möglich."

Grenzen der Toleranz

Ihre Grenzen wird Toleranz dort finden, wo ihr aktive Intoleranz entgegentritt, wo der Dialog unterdrückt wird, wo es bedrohliche Gefahren abzuwenden gilt, wo Gerechtigkeit und Humanität auf dem Spiel stehen. Es gibt praktische Wahrheiten, für die man einstehen muß. Lessing tat das sein Leben lang. Von seinem frühen Lustspiel „Die Juden" und „Der Freigeist" und dem Fragment „Gedanken über die Herrnhuter" bis zu „Nathan der Weise" und den philosophischen Spätschriften „Ernst und Falk" und „Die Erziehung des Menschengeschlechts" gehört der Gedanke der aktiven Toleranz zu den Leitideen seines poetischen und theoretischen Werkes.

Intoleranz im „Nathan"

Aktive Intoleranz zeigt sich bereits im Hintergrundgeschehen des „Nathan", den Glaubenskriegen der Kreuzzüge: Christen kämpfen gegen Moslems, Christen haben Juden gejagt und ermordet (so auch Nathans Familie). Im Drama selbst steht der Patriarch für extreme Intoleranz (I,5; IV,2): pseudo-christlicher Glaubenseifer, überlagert von kirchlich-weltlichem Machtanspruch, läßt ihn gegen den Waffenstillstand, gegen den moslemischen Sultan Saladin, gegen den Juden, der ein Christenkind erzieht, intrigieren; auf Menschenleben kommt es ihm dabei nicht an. Auch Dajas Religionseifer, ihre Sorge um Rechas Wiedereingliederung in die – ewige Seligkeit verheißende – Ordnung der christlichen Kirche, zeigt eine Erscheinungsform der Intoleranz, die bei ihr echte Gewissensangst um ihre und Rechas Seele, in Recha aber Angst und Qual bewirkt (I,1; IV,6; V,6).

Lernwege zur Toleranz

Lernender auf dem Weg zur Toleranz – mit beinahe zur Katastrophe führendem Rückfall in religiöse Intoleranz – bleibt der Tempelherr bis fast zum Ende des Dramas. Saladin – in der Vorgeschichte tapferer Kämpfer gegen die christlichen Kreuzritter – hat mit dem Abschluß des Waffenstillstands und vor allem mit seiner Heiratsdiplomatie zur Begründung eines moslemisch-christlichen Mischstaates (II,1) Streben nach politischer Toleranz gezeigt. (Kann man die Hinrichtung der zwanzig Tempelritter in ihrem vertragswidrigen

Bruch des Waffenstillstands begründet sehen?) Andererseits begegnet er Nathan anfänglich noch voller Verachtung als dem „Juden" (III,4+5). Als er Nathan die verfängliche Frage nach der „wahren" Religion stellt, geht er, wie die drei Söhne in der Ringparabel, vom statischen Besitzdenken aus (nur ein Ring, nur eine Religion ist im Besitz der vollen Wahrheit). Erst in der Ringparabel-Szene (III,7) gewinnt er die tiefere Einsicht einer auch religiösen Begründung der Toleranz: Die Völker und Religionen haben ihre je eigene Geschichte mit Gott. Und wenn er den in Intoleranz zurückgefallenen Tempelherrn mehrfach an den inneren Kern seines Christentums erinnert (IV,4; V,8), beweist er damit, daß er zu jener dritten Stufe der Toleranz durchgestoßen ist, die auch im Denken, in der Religion des anderen ihren Beitrag zur Suche nach gemeinsamer Wahrheit erkennt und entsprechend handelt.

Nathan selbst ist diesen Weg schon in seiner Vorgeschichte gegangen (IV,7), sie zeigt, wie Toleranz auch der Selbstüberwindung bedarf (bei Nathan: die Überwindung des „unversöhnlichsten Hasses" gegen die Mörder seiner Familie). Er übt praktische Toleranz, obwohl er die Verachtung und Unterdrückung der Juden durch Christen und Moslems erfahren hat und noch erfährt (zu Daja: „Doch bin ich nur ein Jude", I,1; der Tempelherr verhöhnt die Christin Daja in jüdischem Dienst I,1, er „kömmt zu keinem Juden" (I,4), Rechas Rettung sei nur seine Pflicht gewesen, „wenn's auch nur/ Das Leben einer Jüdin wäre", II,5; Sittah: „ist's bloß/ Ein Jude, wie ein Jude", III,4; Saladin: „Tritt näher, Jude! – Näher! – Nur ganz her! / Nur ohne Furcht!", III,5). Nathan hat das Christenkind angenommen und aufgezogen, ihr eine christliche Gesellschafterin gegeben, er ist Freund des Moslems Al Hafi. Und indem er den christlichen Tempelritter wie den Moslem Saladin ebenfalls als „Freund" gewinnt, offenbart Lessing zugleich das Wesen der Freundschaft auch als Erfüllung jener dritten Stufe der Toleranz, in der eine enge persönliche Beziehung und gegenseitiges Lernen voneinander entstehen kann, ohne daß

Nathans Beispiel aktiver Toleranz

Erfüllung aktiver Toleranz in der Freundschaft

Unterschiede der Herkunft, des Denkens, der Religion damit aufgegeben werden müssen. Kraft dazu gewinnt Nathan aus dem Glauben an den guten Kern des Menschen, eine gemeinsame Menschlichkeit, die alle Schranken übergreift: die „von Vorurteilen freie Liebe" der Ringparabel. Recha, Saladin, der Tempelherr lernen dieses Denken von Nathan.

Mit alledem hat Lessing, wie der aufmerksame Leser feststellen kann, auch Grenzen der Toleranz sichtbar gemacht, indem er seine Figuren gegen Intoleranz und gegen Menschlichkeit behindernde Verhaltensweisen agieren läßt. Den mörderischen Glaubenskriegen, der gnadenlosen Verfolgung der jüdischen Minderheit setzt er die menschliche Begegnung, den Dialog, die sich daraus entwickelnde Freundschaft zwischen Angehörigen der verschiedenen Religionen, Saladins Idee eines religiösen Mischstaates und das symbolische Schlußbild der eng zusammengehörenden Menschheitsfamilie entgegen. Der kalten Intoleranz des Patriarchen stehen der Abscheu des Klosterbruders und die Empörung des Tempelherrn gegenüber (I,5; IV,2). Die Gefahren, die Dajas Religionseifer hervorruft, werden im Verhalten des Tempelherrn und des Patriarchen sichtbar und von Recha gegenüber Sittah kommentiert (V,6). Nathan selbst weist Rechas und Dajas schwärmerischen Engelsglauben (I,2) und die Gehorsamsethik des Tempelherrn (I,5) mit ungewöhnlicher Schärfe zurück, da sie von eigener Verantwortung und entsprechendem ‚guten' Handeln am Nächsten abhalten können. Auch Recha ironisiert das nur gehorsame Pflichterfüllungsdenken des Tempelritters (III,2), und Saladin macht ihm entschieden seinen Rückfall in religiöse Intoleranz deutlich (IV,4; V,8).

Agieren gegen Menschlichkeit behinderndes Verhalten

Emanzipation und Gesellschaftsutopie

Emanzipation, Befreiung aus Abhängigkeit und Bevormundung: Man könnte den Begriff nach Kants Definition der Aufklärung auch mit „Ausgang des Menschen aus Unmündigkeit" verdeutschen. Seine enge Verknüpfung mit Aufklärung und Toleranz, mit dem Gedanken des Wertes und der Würde aller Menschen und der daraus abgeleiteten Forderung der Menschenrechte, wird so sichtbar. Auch wenn Lessing die Handlung seines Dramas ins Mittelalter versetzen mußte, spiegelt es sein gegenwartsbezogenes emanzipatorisches Denken im individuellen, im gesellschaftlichen und im politischen Bereich.

„Ausgang des Menschen aus Unmündigkeit"

Individuelle Emanzipation beobachtet der Leser oder Zuschauer in den Lernprozessen, die Nathan, Recha, der Sultan und der Tempelherr, aber auch der Derwisch und der Klosterbruder erfahren: Herkömmliche Denkschemata, Vorurteile, dogmatische Handlungsanweisungen und unreflektierte Gehorsamsstrukturen werden aufgebrochen und zu vernunftbegründetem selbständigem Denken und moralischer Eigenverantwortung geführt.

Individuelle Emanzipation im „Nathan"

Gesellschaftliche Emanzipation – den Anspruch einzelner Menschen und gesellschaftlicher Gruppen auf freie Entfaltung und Gleichberechtigung innerhalb der Gesellschaft – spiegelt die Hauptfigur Nathan selbst. Nathan ist zum einen der selbständige Kaufmann, der offenbar durch Fleiß, Umsicht, Weitblick und unternehmerisches Geschick nicht nur wohlhabend geworden ist und Ansehen erworben hat, sondern auch gesuchter Geldgeber des Sultans wird und diesem schließlich sogar auf geistiger Ebene als mindestens ebenbürtiger Gesprächspartner gegenübertritt. Man kann Nathan in dieser Rolle durchaus als Vertreter des selbstbewußt und einflußreich gewordenen neuen europäischen Bürgertums sehen, das (ein Jahrzehnt vor der französischen Revolution!) seine wirtschaftliche und kulturelle Eigenständigkeit im absolutistischen Fürstenstaat zu behaupten begonnen hat.

Gesellschaftliche Emanzipation

Nathan der Bürger

Gleichzeitig ist Nathan aber auch Leitfigur für ein sich emanzipierendes Judentum. Schon der Titel des Dramas ist eine Herausforderung für das Theater des 18. Jahrhunderts: ein „weiser" Jude als Hauptfigur? Der Jude Melchisedech in Boccaccios Ring-Novelle (vgl. das Kapitel „Quellen zum ‚Nathan'") war negativ gezeichnet: Er war geizig, seine Ringerzählung nur eine kluge List – er spiegelte Züge des Bildes vom Juden, das sich die selbstgefällige Christenheit durch die Jahrhunderte erhielt, ein Feindbild, in das Fremdenhaß und abergläubische Angst projiziert und mit dem Alibi der Gottverstoßenheit der Juden bemäntelt wurde. Auch zur Zeit Lessings herrschte dieses Bild vor, und die öffentlich-rechtliche Stellung der Juden entsprach ihm. Judenfeindschaft, Ohnmacht und Rechtsungleichheit der Juden waren die Regel auch da, wo (aus Gründen der Nützlichkeit) vereinzelt Juden Toleranzprivilegien erhielten, die zumeist teuer bezahlt werden mußten und im übrigen zeitlich beschränkt und jederzeit widerrufbar blieben. So gab es kein allgemeines Aufenthaltsrecht für Juden, keine freie Wahl der Wohnung, der Berufsausübung, in der Regel keine Übertragung der Konzessionen auf die Kinder, ja örtlich war privaten jüdischen Angestellten sogar das Heiraten untersagt (vgl. dazu die Materialien im Anhang der Textausgabe von Lessings „Nathan der Weise" im Ernst Klett Verlag Stuttgart).

Situation der Juden zur Zeit Lessings

Lessing kämpft gegen die Vorurteile

Schon der zwanzigjährige Lessing hatte gegen die pauschalen Vorurteile gegenüber einer Minderheitengruppe, gegen ein ganzes zwischen andere Völker versprengtes Volk aufbegehrt. Nach dem Vorbild Molières wählte er für das, was eigentlich Stoff für ein Trauerspiel war, die entlarvende Form des Lustspiels „Die Juden", und erläuterte in der Vorrede dazu (1749):

„Die Juden"

> „Es war das Resultat einer sehr ernsthaften Betrachtung über die schimpfliche Unterdrückung, in welcher ein Volk seufzen muß, das ein Christ, sollte ich meinen, nicht ohne eine Art von Ehrerbietung betrachten kann. Aus ihm, dachte ich, sind ehedem so viel Helden und Propheten auf-

gestanden, und jetzt zweifelt man, ob ein ehrlicher Mann unter ihnen anzutreffen sey?"

In der Folgezeit hatte Lessing reichlich Gelegenheit, in seiner Umgebung den Umgang der „Christen" mit den Juden zu beobachten. Selbst sein späterer Freund, der angesehene jüdische Philosoph Moses Mendelssohn, „Schutzbrief"-Jude in Berlin, wurde, neben den vielen Behinderungen, die er als Jude erfahren mußte, von dem bekannten Schweizer Theologen Lavater öffentlich aufgefordert, entweder sein Judentum öffentlich zu verteidigen – was damals mit größtem Risiko verbunden war – oder zum Christentum überzutreten: eine Situation, die an die des Juden Nathan vor Saladin erinnert. So ist es nur konsequent, wenn Lessing seinen Nathan anders zeichnet als Boccaccio seinen Melchisedech, wenn auch Züge des weisen Philosophen Mendelssohn in ihn einfließen – wenn Lessing in seinem Kampf gegen Vorurteile und Intoleranz auch das Thema der Verachtung, des Hasses, der Verfolgung und Unterdrückung der Juden bis zum blutigen Gemetzel des Pogroms aufgreift (vgl. dazu auch die auf S. 63 zusammengestellten Zitate aus dem ‚Nathan'). Und noch in seiner (unveröffentlicht gebliebenen) Vorrede zum „Nathan" erscheint es ihm nötig, sich gegen den erwarteten Vorwurf zu verteidigen, in seinem Stück „gute Leute" „unter Juden und Muselmännern" gefunden zu haben.

Das Thema der politischen Emanzipation mußte Lessing im „Nathan" wohl vorsichtiger angehen im Blick auf die Herrschaftsverhältnisse seiner Zeit in Deutschland und im Bewußtsein seiner persönlichen Abhängigkeit (und des bestehenden Veröffentlichungs- und Zensurerlasses). Er packt es behutsam, aber trotzdem entschieden an. Nicht revolutionärer Umsturz (zehn Jahre vor der französischen Revolution), sondern Erziehung des absolutistischen Herrschers ist sein Ziel. Saladin wird zum ‚Philosophenkönig', zum aufgeklärten Monarchen erzogen. Seine absolutistische – wenn auch großherzige – Willkür und Widersprüchlichkeit (vgl. das Kapitel „Figuren") wird zu bewuß-

Moses Mendelssohn

„Gute Leute" „unter Juden und Muselmännern"

Politische Emanzipation

Saladin als aufgeklärter absolutistischer Monarch

tem, erkennendem, aktiv tolerantem Verhalten (auch wenn der von Al Hafi – in I,3 – aufgezeigte Widerspruch des ‚guten Menschen' damit nicht beseitigt ist).

Und wenn im symbolischen Schlußbild des Dramas die Menschen über die Unterschiede der Völker und Religionen hinweg ihre Zusammengehörigkeit als „Menschen" erkennen, so werden dort darüber hinaus auch die Grenzen der gesellschaftlichen Stände relativiert. Fürst und adliger Ritter und bürgerlicher Kaufmann, Männer wie Frauen, erkennen sich als Bluts- und Geistesverwandte nebeneinander. Die Hoffnungen einer individuellen, einer gesellschaftlichen und einer politischen Emanzipation fließen in diesem Idealbild einer Gesellschaftsutopie zusammen.

Relativierung der Standesgrenzen

Das Schlußbild als Gesellschaftsutopie

Die Figuren und ihre Konstellation

Nathan

Gleich zu Beginn des ersten Aufzugs wird Nathan als reicher Kaufmann mit weltoffenem Horizont vorgestellt. Aus der alten Weltstadt Babylon kommt er mit seiner Karawane in die damalige Weltstadt Jerusalem zurück; die Kamele sind reich mit eingekauften Waren beladen (I,1; I,6). Er hat unterwegs Schulden einkassiert und verfügt über eine größere Menge baren Geldes (das er später Saladin zur Verfügung stellen kann). Nathan zeigt seinen Gleichmut gegenüber dem materiellen Verlust, als er vom Brand seines Hauses erfahren hat. Daja, der er kostbare Geschenke mitbringt, rühmt seine „Ehrlichkeit" und „Großmut" (I,1), Al Hafi seine freigebige Güte, die mit Klugheit und Weisheit gepaart sei (so unterscheidet Nathan z.B. zwischen dem individuellen Bedarf des Derwischs Al Hafi, der als Mensch alles von ihm haben könne, und der landesherrlichen Verschwendung des Schatzmeisters Al Hafi, zu der er nicht beitragen möchte; I,3), er wisse zu leben und verleihe kein Geld, damit er stets den Armen zu geben habe, und gebe dabei ohne Vorurteile („Doch ganz so sonder Ansehn. Jud' und Christ/ Und Muselmann und Parsi, alles ist/ Ihm eins"; II,2). Sittah rühmt seine kaufmännischen Unternehmungen (Karawanen, Schiffe) und die „edle" Anwendung des „klug und emsig" Erworbenen, seine Vorurteilslosigkeit, seine Tugend, seinen Schönheitssinn (II,2). Nathan erkennt Al Hafis Alternative eines Lebens in freiwilliger Armut und Weltabkehr an, will selbst aber offenbar innerhalb der Welt wirken; er ist bereit, für Al Hafis nicht vollzogene Abrechnung beim Sultan zu bürgen (II,9); er stellt Saladin, nachdem er ihn zum Freund gewonnen hat, ohne direkte Aufforderung das benötigte Geld zur Verfügung (III,7); die Rückgabe dieses Geldes durch Saladin ist für Nathan eine „Kleinigkeit" gegenüber den Tränen Rechas (V,8).

Die Weisheit des Kaufmanns

Nathans Weisheit als Kaufmann besteht also offenbar darin, daß er es einerseits durch kluges und emsiges Handeln und bedachten Umgang mit Geld verstanden hat, reich zu werden, zugleich aber innere Distanz zu materiellen Gütern besitzt und sie so mit großmütiger Güte und Vernunft auch zum Wohl seiner Mitmenschen verwendet.

Der Erzieher:

– Rechas

Nathan hat die Vaterstelle für Recha übernommen. Er gerät in angstvolle Erregung, als er von Rechas Gefährdung durch den Brand des Hauses hört (I,1); ihre Gesundheit (I,1), ihre geistige Entwicklung (I,1+2), ihre Liebe zu ihm und dem Tempelherrn (II,4+8) und ihre seelische Not (V,8) sind ihm wichtiger als sein Haus oder sein Geld. Er führt Recha auf dem Weg des vernunftvollen Denkens durch überzeugende Argumente und Erregung ihres Mitgefühls vom „süßen Wahn" des übernatürlichen Wunder- und Engelglaubens zur „süßeren Wahrheit" der natürlichen Wunder und des menschlichen Handelns (I,1+2). Sittah bewundert Rechas im Gespräch offenbar gewordene Klugheit und Frömmigkeit, die Recha, wie sie sagt, nicht Büchern, sondern allein ihrem Vater verdanke (V,6). Wie sehr Nathan unter der ihm von den Umständen aufgezwungenen Geheimhaltung ihrer christlichen Herkunft litt, zeigt sein Dankgebet, als er diese Herkunft nicht mehr verbergen muß (V,4).

– des Tempelherrn

Ebenso führt Nathan den Tempelherrn aus einer Haltung bloßer Pflicht- und Gehorsamsethik und bornierter Verachtung der Juden zur Einsicht der Zusammengehörigkeit der Menschen als „Menschen" und zum übergreifenden Denken „guter Menschen" und gewinnt ihn zum Freund (II,5). Er zeigt vorsichtige Zurückhaltung gegenüber dem ungestüm Werbenden, als und solange er dem Verdacht der Geschwisterschaft Rechas und des Tempelherrn nachgeht (II,7; III,9; IV,6; V,5). Er versteht und entschuldigt die dadurch hervorgerufenen Verwirrungen des Tempelherrn und nennt schließlich Recha und ihn seine Kinder (V,8).

Auch Sultan Saladin wird von Nathan zu vertiefter Erkenntnis geführt. Nathan regt ihn zum Nachdenken über den Unterschied zwischen Klugheit und Weisheit an (III,5), findet, als er die Falle der verfänglichen Fragestellung ahnt, den klugen und weisen Ausweg der Gleichniserzählung (III,6+7) und bewirkt mit ihr sowohl die betroffene Selbsterkenntnis des Sultans wie auch dessen Einsicht, daß keine der Religionen die Wahrheit als Besitz beanspruchen könne, daß sie sich deshalb über ihre historisch begründeten Unterschiede hinweg im praktischen Tun bewähren müssen.

– des Sultans

In jedem der drei großen Erziehungsgespräche (I,2; II,5; III,7) zeigt sich Nathans „Weisheit" in praktischer Anwendung. Erkenntnis wird nicht lehrhaft-doktrinär aufgepfropft, sondern im Dialog gemeinsam entfaltet. Er geht auf die Ausgangsposition seiner Gesprächspartner ein, setzt auf ihre Vernunft, provoziert sie zu eigenem Nachdenken, gibt Denkhilfen, führt sie so zu ihrem eigenen ‚guten Kern'. Dabei begleitet er die reine Logik des Vernunftdenkens jedesmal mit Impulsen, die zugleich das Gefühl, das Mitleid, die persönliche Betroffenheit wecken: Nathan stellt Recha eine mögliche Krankheit des Tempelherrn vor Augen, er zeigt dem Tempelherrn seine Rührung über den Brandfleck in dessen Mantel, er versetzt Saladin selbst in die Rolle des Richters in der Ringerzählung.

Die Weisheit der Erziehungsgespräche

Nathan glaubt an die Existenz Gottes („und doch ist Gott!", IV,7) und an das Wirken Gottes (der göttlichen Vorsehung oder „Vorsicht") innerhalb der Naturgesetze und des Weltgeschehens, das ist für ihn das „wahre, echte Wunder". Dajas und Rechas Wunderbegriff des Außergewöhnlichen, Übersinnlichen, der Durchbrechung der Naturgesetze lehnt er als „Stolz", „Unsinn oder Gotteslästerung" ab, denn das verführe zum gefährlichen bloßen „fühlen" und „andächtig schwärmen", während es doch auf das „tun", das „gute Handeln" am „Nächsten" ankomme (I,2). Dieses gute

Nathans Glaube

Handeln am Nächsten soll nicht nur äußerlich aus bloßem Pflichtgefühl und Gehorsam gegenüber Geboten oder Regeln geschehen (Pflicht- und Gehorsamsethik), sondern aus einsichtsvollem „Denken" heraus, einem Denken als „Mensch", das auch die äußerlich trennenden Abgrenzungen der Völker und Religionen übergreift (II,5).

Der Begriff „Mensch" ist dabei für Nathan nicht nur bloße Gattungsbezeichnung, sondern meint – im Sinne des Humanitätsideals – den Angehörigen der Gattung Mensch, der die guten Möglichkeiten dieser Gattung verkörpert (I,3; II,5). In der Ringparabel faßt Nathan diese Vorstellungen noch einmal zusammen. Nicht auf die äußeren Unterschiede der Religionen komme es an, sondern auf die Kraft des Glaubens und die daraus erwachsende Bewährung im Verhalten der Menschen. Vorurteile überwinden, die Liebe als gemeinsame Kernforderung der drei Offenbarungsreligionen entdecken und diese Liebe in drei Richtungen wirken lassen: Arbeit an sich selbst (Mäßigung, Selbstbeherrschung) – Verträglichkeit und Wohltun gegenüber den Mitmenschen – innigste Ergebenheit in Gott (III,7).

Nathans Hintergrund

Nathans Weisheit ist nicht abstrakter Idealismus, sondern aus erschütternder Schicksalserfahrung erwachsen. Moslems verachten die Juden, Christen hassen, verfolgen und ermorden sie. Dem Klosterbruder als mittelbar Beteiligtem berichtet Nathan (IV,7), was er bisher – bescheiden und wohl auch vorsichtshalber – noch niemandem mitgeteilt hat: Christen haben seine Frau, seine sieben Kinder und seine Verwandtschaft ermordet, verbrannt. Er hat danach die Erziehung vom „Wahn" über die „Vernunft" zur „Wahrheit" an sich selbst erfahren. (Man kann diese Erfahrung Nathans mit der des Mannes Hiob im Alten Testament der Bibel vergleichen: Wie er erkannte Nathan im leidvollen Verlust all dessen, woran sein Herz auf Erden hing, auch die prüfende Herausforderung Gottes, seinen Glauben zu bewähren.) Seine „weise" Menschlichkeit ist so das Ergebnis einer bewußten, vernunftgeleiteten Selbsterziehung und zugleich die praktische Bewährung des Rates des Richters aus der Ringparabel, den Nathan formuliert. Sie ist auch nicht nur eine einmalige ‚Leistung' der Vergangenheit, auf der der „Weise" sich ausruhen dürfte, sondern sie muß sich in immer neuen Herausforderungen immer wieder neu bewähren. Erst aus dieser Haltung heraus kann er Recha, den Tempelherrn und Saladin zu besserer Einsicht führen und sogar in neuer Selbstüberwindung den möglichen Verlust Rechas annehmen („wenn sie von meinen Händen/ Die Vorsicht wieder fodert", IV,7). So wird er (wie es der Klosterbruder in IV,7 feststellt) auch zum Beispiel besten Christentums.

Recha

Vorgeschichte

Rechas Mutter war eine Schwester des Tempelritters Conrad von Stauffen, ihr Vater Saladins Bruder Assad, der aus Liebe zu der Christin zum Christentum übergetreten war, den deutschen Namen Wolf von Filnek angenommen hatte, auf christlicher Seite kämpfte und bald darauf im Kampf fiel. Als ihre Mutter bei ihrer Geburt gestorben war, hatte der Vater seinen Reitknecht (den späteren Klosterbruder) beauftragt, das hilflose Mädchen seinem Freund Nathan in Pflege zu geben (IV,7). Nathan nahm das Kind als seines an, ließ es von einer Amme (V,7) und nach deren Tod von der Christin Daja aufziehen und erzog es in seinem Geist zu vernunftgeleitetem Denken und Menschlichkeit. Er verschwieg ihr ihre Herkunft, weil er als Jude mit der Erziehung einer jungen Christin nicht nur schlimmste Strafen zu erwarten gehabt hätte, sondern ihm auch das Mädchen weggenommen worden wäre (vgl. IV,2); Recha hält sich für seine Tochter.

Die Lernende

Wie Nathan Recha erzieht, zeigt das Beispiel der zweiten Szene des Dramas. Beim Brand ihres Hauses während Nathans Abwesenheit hat der junge Tempelherr die Achtzehnjährige aus den Flammen gerettet; sie „schwärmt", von Daja darin unterstützt, im Glauben, ihr Retter sei ein Engel gewesen (I,1). Nathan versteht es, Vernunft und mitfühlende Aktivität gleichzeitig in ihr zu wecken: Einerseits, Vernunft ansprechend, stellt er ihrem übersinnlichen Wunder- und Engelglauben, der zu gefährlichem bloßen „fühlen" und „andächtig schwärmen" verführe, die „wahren, echten Wunder" des Wirkens Gottes innerhalb der Naturgesetze und des Weltgeschehens gegenüber, die zum „guten Handeln" am „Nächsten" Anlaß geben, und gleichzeitig deutet er ihr, in einer Art Schocktherapie, die Möglichkeit an, ihr Retter könne selbst krank und hilfsbedürftig geworden sein (I,2).

Die Weitergebende Daß Nathans langjährige Erziehung an ihr offenbar gelungen ist, zeigt ihr Auftreten gegenüber Daja (III,1) und dem Tempelherrn (III,2). Sie, die Jüngere, ist die geistig Führende. Daja gegenüber lehnt sie den Besitzanspruch der Christen auf den wahren Gott ab („Wem eignet Gott? was ist das für ein Gott,/ Der einem Menschen eignet? der für sich/ Muß kämpfen lassen?") und beruft sich dabei metaphorisch auf „den Samen der Vernunft", den Nathan „so rein in meine Seele streute" und den sie „vom sauersüßen Dufte" der Blume Dajas nicht entkräften lassen will („ ... viel tröstender war mir die Lehre, daß Ergebenheit/ In Gott von unserm Wähnen über Gott/ So ganz und gar nicht abhängt", III,1). Dem Tempelherrn gegenüber setzt sie mit spielerischem Spott Nathans Lektion gegen die bloße Pflichtethik fort („Tempelherren,/ Die müssen einmal nun so handeln; müssen/ Wie etwas besser zugelernte Hunde,/ Sowohl aus Feuer, als aus Wasser holen", III,2), bekennt sich aber auch, Daja gegenüber, in ruhig gewordener, klarer Gewißheit zu ihm (I,3).

Auch Sittah bewundert Rechas im Gespräch mit ihr offenbar gewordene Klugheit und Frömmigkeit (V,6). Recha erwidert, nicht Büchern, sondern allein ihrem Vater verdanke sie ihr Wissen. Doch Dajas Enthüllung, daß Nathan nicht ihr leiblicher Vater ist, hat sie in eine tiefe Krise gestürzt. Ihr Selbstverständnis, ihre Identität ist in Frage gestellt; sie muß die mit Nathans Hilfe erworbene

Haltung bewähren. Sie vermag sich selbst in dieser Erschütterung noch in die Motive des Missionseifers Dajas zu versetzen, bekennt, daß dieser Eifer sie früher schon „geängstet" und „gequält", aber auch zu guten und nützlichen Gedanken herausgefordert habe, daß man ihm demnach mit „Geduld" und „Überlegung" – also mit Vernunft – begegnen müsse. Saladin bestätigt der Verzweifelten, daß nicht das Blut allein den wahren Vater mache, und bietet ihr seine Hilfe an (V,7). Leidenschaftlich bekennt sie sich dann zu Nathan als ihrem geistigen Vater, nimmt, in fast sprachloser Überraschung, den Tempelherrn als ihren Bruder an und erkennt in Saladin und Sittah die Geschwister ihres leiblichen Vaters (V,8).

Als Tochter einer europäischen Christin und eines arabischen, zum Christentum übergetretenen Moslems, vom unorthodoxen Juden Nathan erzogen und mit der Witwe eines christlichen Kreuzfahrers als Gesellschafterin verkörpert sich in Recha sowohl das äußere Zusammentreffen der Völker und Religionen auf dem palästinensischen Kriegsschauplatz der Kreuzzüge wie auch, parallel zum Tempelherrn, das Zusammenfinden der Religionen im Lernprozeß zu aufgeklärter Menschlichkeit.

Sultan Saladin

Der mächtige Sultan Saladin wird im Drama nur in seiner privaten Sphäre gezeigt, die aber zugleich auch die Ausübung seiner Herrschaft spiegelt. Zunächst zeigt Saladins Verhalten eine Reihe von Widersprüchen. Als Tempelritter den befristeten Waffenstillstand kurz vor seinem Ablauf durch einen Überraschungsangriff gebrochen hatten, ließ er zwanzig von ihnen, die gefangen genommen worden waren, hinrichten – einen aber begnadigte er willkürlich, weil er seinem verschollenen Bruder Assad ähnelte (I,1+3). Er ist für sich selbst anspruchslos („Ein Kleid, Ein Schwert,

Saladins Widersprüche

75

Ein Pferd, – und Einen Gott!/ Was brauch ich mehr?" II,2), hat in seiner großherzigen, aber auch leichtsinnigen Freigebigkeit den Bettelmönch Al Hafi zu seinem Schatzmeister gemacht (der wisse am besten Bettlern zu geben, I,3) und beschenkt seine Schwester Sittah für gewonnene und verlorene Schachspiele – doch seine Kassen sind leer, ohne daß er es recht wahrgenommen hat, sein Vater im Libanon, der die Kriegskasse verwaltet, ist in Geldnot, Al Hafi muß für ihn Geld erbetteln, Sittah zahlt heimlich den Unterhalt des Hofes (I,3; II,1+2), und die Gelder aus Ägypten, die er erwartet, sind von seinen Untertanen erpreßte Tribute (I,3; V,2). Saladin träumt, so seine politische Vision, von einem dauerhaften Frieden in einem islamisch-christlichen Mischstaat, den er durch eine Doppelheirat zweier seiner Geschwister mit zwei Geschwistern des Königs Richard Löwenherz von England schaffen will. Zugleich muß er dem Wirklichkeitssinn seiner Schwester Recht geben, daß das ein „schöner Traum" bleiben wird (II,1), und sieht, im Gegensatz zu dieser toleranten Einstellung, in Nathan zunächst nur verächtlich den „Juden" (III,5). Er hat Bedenken gegen den listigen Anschlag, den Sittah gegen Nathan entwirft, um von diesem Geld zu erpressen – aber er läßt sich von Sittah dazu überreden (III,4). Und er weiß theoretisch um den Unterschied zwischen Klugheit (die sich auf den eigenen Vorteil versteht) und Weisheit (die über „des Menschen wahre Vorteile" nachgedacht hat) – doch er verhält sich, als er Nathan die erpresserische Religionsfrage stellt, nur klug (III,5).

Saladins Erziehung und Bewährung

Erst Nathans Gleichniserzählung, die Ringparabel, befreit den ‚guten Kern' in ihm. Sie bewirkt in dem zuerst nur neugierig Zuhörenden persönliche Betroffenheit, Erkenntnis und schließlich Erschütterung im Bewußtwerden seiner Unzulänglichkeit („Ich Staub? Ich Nichts? O Gott!" III,7). Auch bei ihm ist es mit dieser persönlichen Erfahrung von Erschütterung und Erkenntnis nicht getan; der Fortgang der Handlung zeigt, wie er sich handelnd bewährt. Er bietet dem Juden Nathan die Freundschaft an (III,7); er verwendet einen Teil des geliehenen Geldes zur Unterstützung der christlichen Pilger (IV,3); er bekennt sich vor dem christlichen Tempelherrn, dem er Leben und Freiheit schenkte, zu religiöser Toleranz, bietet auch ihm Freundschaft an und weist ihn, als der in intolerantes Gruppendenken zurückfällt, behutsam, aber entschieden zurecht (IV,4); er überwindet die Versuchung, entgegen seiner Neigung jetzt mit dem Geld zu geizen, glaubt, daß gutes Vorbild Menschen bilden helfen kann (V,1); er bietet sich Recha als „dritter Vater" an und wirbt bei ihr für den Tempelherrn (V,7+8). Sein versöhnlicher Humor zeigt sich in den Szenenschlüssen IV,4 und V,8. Sein guter Kern ist freier geworden – nicht aufgehoben ist damit freilich das Dilemma des ‚guten Menschen' und des absolut herrschenden Fürsten, der Geld eintreibt, um mit Geld zu helfen, der einen ihm aufgezwungenen Krieg führen muß.

So könnte der Leser oder Zuschauer in der Figur des orientalischen Sultans auch die Aktualität eines ‚Fürstenspiegels' des 18. Jahrhunderts entdecken: die Widersprüchlichkeit im Verhalten eines wohlmeinenden absolutistischen Monarchen ebenso wie das utopische Leitbild eines aufgeklärten ‚Philosophenkönigs'.

Sittah

Sittah, Saladins Schwester, wird als Schachpartnerin Saladins eingeführt (II,1+2). Sie gibt ihm Gelegenheit, seine Probleme auszusprechen; gleichzeitig verraten klug vorausberechnete Schachzüge ihre Intelligenz. In weltkluger Hilfsbereitschaft nimmt sie großzügige Geldgeschenke Saladins für jedes gewonnene oder verlorene Spiel an, aber nur, um sie heimlich wieder der recht leeren Kasse des Schatzmeisters Al Hafi zu überlassen. Ihren klugen Wirklichkeitssinn zeigt sie auch in ihrer skeptischen Beurteilung der politischen Visio-

Weltkluge Hilfsbereitschaft

nen ihres Bruders. Saladins Plan, durch eine Doppelhochzeit seiner Geschwister mit Geschwistern des englischen Königs Richard Löwenherz dauerhaften Frieden in einem islamisch-christlichen Mischstaat zu schaffen, stehe der Stolz und das Machtstreben der Christen im Wege, die nur Christen, nicht „Menschen" sein wollten, denen es nur um die Verbreitung des „Namens" Christi, nicht um die von Christus vorgelebte „menschliche" Tugend gehe und deren Ziel deshalb die Wiedererrichtung eines christlichen Königreichs Jerusalem sei.

Um Saladins Geldmangel abzuhelfen, verfällt sie auf den reichen Nathan (II,2) und will einen listigen Anschlag auf ihn vorbereiten (II,3). Sie erdenkt – auch hier klug vorausberechnend – die erpresserische Falle für Nathan mit Hilfe der Frage nach der wahren Religion. Ihren geschickten Argumenten gelingt es, den widerstrebenden Saladin zum Mitspielen zu überreden (III,4). Damit scheint ihre Hauptfunktion erfüllt. An Saladins Erkenntnis seines nur klugen, aber nicht weisen Handelns nimmt sie nicht teil; so bleibt sie, könnte man sagen, die Vertreterin der Klugheit gegenüber der Weisheit, die sich Nathan errungen hat und zu der hin Saladin, Recha und der Tempelherr unterwegs sind. Im vierten Aufzug hilft sie Saladin, die Frage nach der Verwandtschaft des Tempelherrn mit Assad voranzutreiben (IV,3+5); im letzten Aufzug gibt sie Recha Gelegenheit, sich über Dajas Enthüllung und Verhalten auszusprechen, und hilft ihr, aus ihrer Verzweiflung zu abstandnehmender Vernunft zu finden (V,6+7); am Schluß kommt ihr nur mehr eine Statistenrolle zu.

Sittah bleibt so im ganzen eine statische, sich im Drama nicht verändernde Figur, auf die Rechas Charakteristik zuzutreffen scheint: „Vor Sittah gilt kein Winseln, kein/ Verzweifeln. Kalte, ruhige Vernunft/ Will alles über sie allein vermögen./ Wes Sache diese bei ihr führt, der siegt!" (V,6).

Der Tempelherr

Der Tempelherr ist der Sohn Assads, des verschollenen Bruders Saladins, der zum Christentum übergetreten war, den deutschen Namen
Wolf von Filnek angenommen hatte. Nach seinem
Vater, den er offenbar selbst nicht mehr kannte,
erhielt er den Namen Leu von Filnek, wuchs
aber, von seinem Onkel aufgezogen, unter dem
Adoptivnamen Curd von Stauffen auf. Der junge
Christ ist erst kürzlich aus Deutschland von seinem Orden als Verstärkung nach Palästina ge-
schickt worden (V,8). Nach dem Überraschungsangriff auf Tebnin, mit dem die Tempelritter den
Waffenstillstand mit Saladin gebrochen hatten,
wurden zwanzig von ihnen gefangen genommen.
Saladin ließ sie hinrichten – bis auf diesen einen,
in dem Saladin Züge seines verschollenen Bruders Assad zu entdecken glaubte (I,5). Offenbar
bedeutete diese Begnadigung für den militanten
Christen eine erste Erschütterung seines Selbstverständnisses. Dem Klosterbruder berichtet er:
„Man hebt mich auf; ich bin entfesselt; will/ Ihm
(=Saladin) danken; seh sein Aug' in Tränen;
stumm/ Ist er, bin ich; er geht, ich bleibe" (I,5).
Und Nathan gesteht er – seine Rettung Rechas
herunterspielend –: „Mein Leben war mir ohne-
dem/ In diesem Augenblicke lästig" (II,5). Er hat
seine bisherige Identität, seine gesellschaftliche
Einbettung, mit der Rolle des christlichen Tempelritters verloren, ist durch das Verhalten des
moslemischen ‚Feindes' verunsichert.

„Kühn" hat der Begnadigte das vermeintliche Judenmädchen Recha aus dem Brand ihres Hauses
gerettet, lehnt aber „kalt und ungerührt" Dank
und Kontakte mit der Judenfamilie ab und verhöhnt die in jüdischem Dienst stehende Christin
Daja mit „bitterm Spott" (I,1). Er „kömmt zu keinem Juden" (I,4): „Jud' ist Jude./ Ich bin ein
plumper Schwab" (I,6) – seine Verachtung gegenüber Andersgläubigen verbindet sich mit nationa-
lem Hochmut des Deutschen (der sich dazuhin
noch etwas auf seine angebliche derbe Einfalt zu-

gute tut). Doch als der Klosterbruder ihm den intriganten Auftrag des Patriarchen übermittelt, Saladins Befestigungen auszuspionieren und womöglich Saladin selbst gefangenzunehmen oder gar zu ermorden, zeigt sich der „gute Kern" des Templers: Aus ritterlichem Stolz und aus Dankbarkeit gegenüber Saladin weist er das Ansinnen zurück und spricht davon, daß die äußerliche Ähnlichkeit, die zu seiner Begnadigung geführt habe, doch auch eine Entsprechung in seiner Seele haben müsse (I,5).

Der „gute Kern"

Schon zu Beginn ihrer ersten Begegnung (II,5) liest Nathan diese Widersprüchlichkeit aus dem Blick des Näherkommenden, der ihm „gut", aber „trotzig" erscheint – nur die Schale sei bitter, schließt er daraus, „der Kern/ Ist's sicher nicht". Zugleich kommen ihm Blick und Gang bekannt vor. Im Dialog führt Nathan den Tempelherrn aus seiner anfänglichen bornierten Verachtung der Juden und aus seiner Pflicht- und Gehorsamsethik (die Rettung Rechas sei nur seine Pflicht als Tempelherr gewesen: „wenn's auch nur/ Das Leben einer Jüdin wäre") zur Einsicht in ein „Denken guter Menschen", die in allen Ländern zu finden seien – die Einsicht in die Zusammengehörigkeit der Menschen als Menschen. Der Tempelherr selbst prangert die intolerante „fromme Raserei" der gegenwärtigen Religionskämpfe an, beide schließen Freundschaft, der Tempelherr sorgt sich um „unsere Recha". Seine Erziehung scheint gelungen; er scheint auf dem Weg zu sein, mit neuer Erkenntnis und einer neuen sozialen Rolle neue Identität zu finden.

Begegnung mit Nathan

„Denken guter Menschen"

Als er jetzt Recha begegnet (III,2), ist er in der Verwirrung seiner erwachenden Liebe zugleich der weiter Lernende. Recha setzt mit spielerischem Spott Nathans Lektion gegen die Gehorsamsethik fort. Die Andeutung seines Gewissenskonflikts („Ich bin, wo ich vielleicht/ Nicht sollte sein") verrät, daß er sich innerlich mit den Glaubens- und Keuschheitsregeln seines Ordens auseinanderzusetzen beginnt, die ihm Liebe und Ehe, noch dazu mit einer – vermeintlichen – Jüdin, streng untersagen. Entflammte Leidenschaft treibt

Begegnung mit Recha

Gewissenskonflikt

ihn aus der formalen Zurückhaltung eines Anstandsbesuchs zum fluchtartigen Abschied. Relativ rasch entscheidet er im Monolog (III,8) seinen stürmischen inneren Kampf zugunsten der Liebe.

Noch oberflächliche Lösung

Gefangennahme, Todesurteil und Begnadigung durch Saladin hätten ihn seiner Pflichten als Tempelherr entbunden, einen neuen, besseren Menschen aus ihm gemacht („Ich Tempelherr/ Bin tot", „Der Kopf … ist ein neuer"). Auch nach dem, was er über seinen Vater gehört habe – den er offenbar nicht gekannt hat –, müsse der ähnlich gedacht haben; schließlich sei ihm Nathans Zustimmung wohl auch gewiß. Damit schiebt er freilich eine wirkliche Auseinandersetzung mit seiner Vergangenheit, seinen bisherigen Vorstellungen, seinem christlichen Glauben noch von sich weg, verdrängt sie: „Ich mag nicht, mag nicht näher wissen,/ Was in mir vorgeht". Die Lösung ist nur äußerlich, die Rechtfertigung noch oberflächlich.

So wirbt er stürmisch bei Nathan um Recha, und er, der Elternlose, der in seiner neuen Rolle noch Unsichere, scheint dabei in Nathan zugleich auch einen neuen Vater zu suchen („Mein Vater!" III,9). Nathans Zurückhaltung versperrt ihm die schnelle Eingliederung in einen neuen Lebenskreis, und Dajas Offenbarung, Recha sei christlicher Herkunft, aber von Nathan jüdisch erzogen, läßt ihn jetzt sogar an Nathans Aufrichtigkeit zweifeln. Er stürzt in erneute, noch tiefere Verwirrung, vertraut noch nicht auf sein selbständiges Urteil; sein eben von Nathan übernommenes Zielbild einer religionsübergreifenden toleranten Menschlichkeit beginnt wieder zu wanken. Die neue Einsicht war offenbar zu sehr an den Menschen gebunden, der ihm dazu verholfen hatte.

Neue Verwirrung

Sein Gang zum Patriarchen zeigt, daß er neue Orientierung bei einer anderen Autorität – einer der eigenen Religionsgemeinschaft – sucht, obwohl gerade der Patriarch ihm durch sein intrigantes Ansinnen doch verdächtig geworden sein sollte: Die Gefahr des Rückfalls in religiöses Gruppendenken, Intoleranz, fanatische Unduldsamkeit deutet sich an. Im Vorgespräch mit dem

Begegnung mit dem Patriarchen

Klosterbruder äußert er Gedanken in dieser Richtung, doch verrät seine Einsicht, er suche eigentlich den Rat eines erfahrenen Christen, daß er innerlich noch unsicher ist (IV,1). Der falsche Pomp des Patriarchen, sein kalter, intriganter Unfehlbarkeitsanspruch und das Extrem dogmatischer Intoleranz („Tut nichts! der Jude wird verbrannt!") stoßen ihn zurück. Er beginnt aus dieser Begegnung aufs neue zu lernen. Er gibt den Namen Nathans nicht preis, entzieht sich ironisch der Haßpredigt des Kirchenfürsten (dem „trefflichen Sermon") und provoziert, als er auf dessen Drohung mit Saladin seinen eigenen Gang zum Sultan ankündigt, das plötzliche ängstlich-kriecherische Umschwenken des Patriarchen (IV,2).

Begegnung mit Saladin

Jetzt versucht der verletzte Tempelherr, in Saladins Autorität neuen Halt zu finden (IV,4). Er ist bereit, sein ihm geschenktes Leben in dessen Dienst zu stellen – als „Wunsch in meiner Seele". Saladins tolerante, friedliebende Menschlichkeit beeindrucken ihn („Der Held, der lieber Gottes Gärtner wäre"), doch als Saladin nach Nathan fragt, reagiert er „frostig". Nochmals bricht in seiner sich steigernden Anklage Nathans der latente Gruppenfanatismus hervor („Ich werde hinter diesen jüd'schen Wolf/ Im philosoph'schen Schafspelz Hunde schon/ Zu bringen wissen, die ihn zausen sollen!"). Erst Saladins wiederholte behutsam-bestimmte Zurechtweisung („Sei ruhig, Christ!", „Sei keinem Juden, keinem Muselmanne/ Zum Trotz ein Christ!") lehrt ihn, seinen eigenen Rückfall in Vorurteil und Intoleranz als Trotzhaltung zu erkennen (IV,4). Er beginnt sich an Saladins Bruder Assad zu orientieren, findet so, ohne daß er es weiß, zu seinem natürlichen Vater („Ah, wenn ich wüßte,/ Wie Assad – Assad sich an meiner Stelle/ Hierbei genommen hätte!").

Neue Einsicht

In der zweiten Monologszene des Tempelherrn (V,3) wirkt diese neue Einsicht nach. Es geht ihm auf, daß Nathan an Recha keinen „Raub" beging, sondern Recha ihren eigentlichen „höhern Wert" Nathan als ihrem geistigen Vater verdankt. Er erkennt, welche Gefahr sein unüberlegtes Vorsprechen beim Patriarchen für beide heraufbeschworen hat, und will neue Entschlüsse fassen. Doch noch ist die Erziehung des jungen Christen nicht weit genug gediehen. In der neuen Begegnung mit Nathan (V,5) erklärt er diesem seine Erregung und bittet ihn wegen seines unüberlegten Gangs zum Patriarchen um Verzeihung, fordert ihn aber gleichzeitig wieder stürmisch auf, ihm Recha, um sie zu retten, sofort zur Frau zu geben. Als Nathan ihm erwidert, es habe sich ein christlicher Bruder Rechas gefunden, der dabei mitzusprechen habe, verliert er aufs neue seine mühsam errungene Selbstbeherrschung. Hatte er sich vorher in christlichem Trotz gegen Juden und Moslems aufgelehnt, so fällt er nun in das entgegengesetzte Extrem der scharfen polemischen Absage an alles Christliche, das Recha aufgezwungen werden und Nathans Erziehungswerk an ihr verderben könnte – bis zur erregten Andeutung eines eigenen Religionswechsels. Und als Recha sich später (V,8) zu Nathan bekennt – ihr Herz gehöre allein ihm als ihrem Vater – versteht er das als Absage an seine Liebe: Saladin solle sich nicht weiter für ihn bemühen. Auf Nathans erneuten Hinweis auf einen Bruder Rechas reagiert er „äußerst erbittert" und unterstellt Nathan betrügerische Absicht – Saladin muß ihn nochmals an seine verblendete Intoleranz erinnern.

Neue Krise

Noch eine letzte Verwirrung erfährt der Tempelherr durch die Aufdeckung seiner Geschwisterschaft mit Recha – demütig erbittet er Saladins Verständnis für seinen Zustand. Denn seine letzte – und nicht die leichteste – Lernaufgabe ist es, auf seine Liebe zu Recha als Frau zu verzichten und sie dafür als Schwester anzunehmen. Seine schließlichen Dankesworte an Nathan („Ihr gebt/ Mir mehr, als Ihr mir nehmt! unendlich mehr!") überlassen es dem Leser oder Zuschauer, dieses „unendlich mehr" zu konkretisieren. Nathan ist sein geistiger Vater geworden und nimmt Recha und ihn als „seine Kinder" an. Auf seinem mühsamen Lernweg ist er aus naiver Autoritätsgläubigkeit und Pflichtethik auf eine neue Bewußtseinsstufe geführt worden. Zur Einsicht in ein

„Denken guter Menschen"? In die Zusammengehörigkeit der Menschen über die Grenzen der
Völker und Religionen hinweg? Zu einer „demütig" auf Gott vertrauenden, von gottgegebener
Vernunft geleiteten und selbständig vor Gott ver-
antworteten Menschlichkeit? Die Entdeckung seiner Blutsverwandtschaft mit Saladin und Sittah
als Sohn ihres Bruders Assad bestätigen dazuhin
auch sinnbildlich seine neugefundene Identität
mit sich selbst, mit seiner Herkunft und als Glied
der einen großen Menschheitsfamilie.

Der Patriarch

Indirekte Charakteristik des Bischofs von Jerusalem, der den Titel „Patriarch" führen darf, wird
deutlich, als der Klosterbruder dessen Auftrag
dem Tempelherrn übermittelt (I,5). Der intrigante
Vertreter kirchlicher Machtpolitik will die Ver-
längerung des Waffenstillstands zwischen Saladin
und König Philipp und damit auch die Friedens-
pläne Saladins vereiteln; der Klosterbruder soll
den Tempelherrn anstiften, die Befestigungsanlagen Jerusalems auszukundschaften und Saladin
gefangenzunehmen oder gar zu ermorden. Vor der
Begegnung des Tempelherrn mit dem Patriarchen
warnt ihn der Klosterbruder vor der einseitigen
Vorherrschaft der Kirche über das Rittertum
(IV,1). Der „mit allem geistlichen Pomp" nahende
„dicke, rote" Würdenträger (IV,2) offenbart den
Widerspruch dieser einschüchternden Machtde-
monstration zu der zur Schau getragenen
Freundlichkeit und dem Anlaß eines (wohl mehr
öffentlichkeitswirksamen) Krankenbesuchs; der
Hinweis auf noch größeren Prunk bei einem Besuch am Hof des Sultans kontrastiert mit der persönlichen Anspruchslosigkeit Saladins (vgl. II,2).
In dialektischer Paradoxie stellt er dem aufkläre-
rischen Anspruch eines gottbegründeten Vernunftdenkens den Machtanspruch einer ‚gottbegründeten' kirchlichen Hierarchie gegenüber (IV,2).

**Kirchliche
Machtpolitik**

**Dialektische
Schein-
argumentation**

Den Rat, den der junge Tempelherr beim älteren Christen sucht, erklärt er zu einem Machtspruch des kirchlichen Amtsträgers als einem „Engel Gottes", dem „blindlings" zu gehorchen sei, da die kleine, eitle Vernunft der Menschen ihre Grenze finde im Willen – der „Willkür" – Gottes, der als Schöpfer der Vernunft doch über ihr stehe. Die Anwendung dieser Unfehlbarkeitsbehauptung kirchlicher Machtpolitik auf den Einzelfall des Juden, der ein Christenkind erzieht, entlarvt die dialektische Scheinargumentation, der es nicht um Wahrheitsfindung im Pro und Contra geht und erst recht nicht um Argumente der (auch christlichen) Menschlichkeit, die der Tempelherr vorbringt, sondern um die rücksichtslose Durchsetzung machtpolitischer Intoleranz. Nur was die Kirche Kindern antue, sei keine Gewalt an Kindern; besser sei es, im Elend umzukommen, als zu seinem Verderben gerettet zu werden, Gott sei bei der Rettung nicht vorzugreifen, Erziehung zur Vernunft sei ein noch dreifach schlimmeres Vergehen als Erziehung in einem anderen Glauben. „Tut nichts! der Jude wird verbrannt!" bleibt der entlarvende Schlüsselsatz.

Wie dieser negative Vertreter christlicher Kirchenhierarchie versucht, auch die weltliche Macht für seine Ziele einzuspannen, zeigt die Drohung des Patriarchen mit den Machtmitteln Saladins. Der Sultan habe nicht nur beim Waffenstillstand der christlichen Religion Schutz zugeschworen, sondern er werde vor allem begreifen, daß Menschen, die nichts glauben, dem Staat gefährlich seien. Freilich entlarvt er sich selbst auch in diesem Doppelspiel (hatte er doch vorher den Tempelherrn anstiften lassen, Saladin zu ermorden, vgl. I,5). Als der Tempelherr ihm zuvorkommt – er sei zu Saladin gerufen –, schwenkt der Patriarch plötzlich um; der Tempelherr möge seiner „nur/ Im Besten" bei Saladin gedenken, und der Fall des Juden sei sicher nur ein Gedankenspiel, kein tatsächliches Vorkommnis gewesen – was ihn freilich nicht hindert, gleich darauf den Klosterbruder zu beauftragen, die Identität des Juden herauszufinden.

Einflußnahme auf die weltliche Macht

Der Patriarch ist somit als einzige Figur im Drama ohne einen ‚guten' menschlichen Kern gezeichnet – als sei dieser Kern im ideologiebefangenen Machtdenken erstickt. Seine Intrigen werden im Drama zwar vereitelt, sein Verhalten in ironisch-satirischer Darstellung stellenweise dem Spott komödienhafter Lächerlichkeit preisgegeben, doch die Gefährlichkeit der militanten Intoleranz, die er vertritt, ist damit nicht beseitigt und lauert als ständig gegenwärtige Bedrohung im Hintergrund des Geschehens.

Daja

Daja ist die Witwe eines während eines Kreuzzugs zusammen mit Kaiser Barbarossa ertrunkenen Kreuzfahrers. Sie hat Recha als Kind liebevoll wie eine Mutter gepflegt (V,6), und das Personenverzeichnis weist sie jetzt als „eine Christin, aber in dem Hause des Juden, als Gesellschafterin der Recha" aus.

Gleich zu Beginn des Dramas (I,1) wird offenbar, daß Daja unter einem inneren Zwiespalt leidet: zwischen ihrer anhänglichen Verehrung Nathans und dem Wissen um ein Geheimnis, das Recha betrifft und ihr Gewissen belastet. Sie hat zudem Recha in ihrem schwärmerischen Glauben bestärkt, sie sei von einem Engel aus dem Feuer gerettet worden, und meint, Nathan solle Recha diesen „süßen Wahn" lassen, „In dem sich Jud' und Christ und Muselmann/ Vereinigen". Als Nathan ihrem und Rechas Glauben an übernatürliche Wunder seinen Begriff des wunderbaren natürlichen Wirkens Gottes im Weltganzen gegenüberstellt (I,2), sind das für sie nur Spitzfindigkeiten („Subtilitäten"), doch ihr ‚guter Kern' zeigt sich in ihrer ängstlichen Besorgtheit um Recha während Nathans ‚Schocktherapie'.

Der Besuch des Tempelherrn (III,1) erweckt doppelte Hoffnung in Daja: die Beruhigung ihres Gewissens durch Rechas endliche Wiedereingliederung in die – ewige Seligkeit verheißende – Ordnung der christlichen Kirche und damit auch für Recha und sie selbst die Rückkehr in die europäische Heimat. Um die Erfüllung dieser Hoffnung bangend (III,10), bricht sie das Nathan gegebene Versprechen und gibt dem Tempelherrn den ihr bekannten Teil des Geheimnisses um Rechas christliche Herkunft preis, so die Verwirrung des Tempelherrn steigernd und sein aktives Gegenhandeln provozierend. Und als Sittah Recha zu sich holen läßt, fürchtet sie eine Verkuppelung Rechas mit einem Moslem und entschließt sich, auch Recha gegenüber ihr Geheimnis zu brechen und ihr ihre christliche Herkunft zu verraten (IV,8).

Rechas Bericht an Sittah, wie Daja ihr ihre Herkunft entdeckt habe (am Marienaltar der Ruine einer christlichen Kirche) enthält auch eine abschließende, psychologisch einfühlsame Würdigung der „guten bösen Daja", die ihr „so viel Gutes – so viel Böses/ Erwiesen" habe, und damit zugleich eine wertende Einschätzung des missionarischen Kircheneifers überhaupt: „Ach! die arme Frau ... / Ist eine Christin; – muß aus Liebe quälen; – / Ist eine von den Schwärmerinnen, die/ Den allgemeinen, einzig wahren Weg/ Nach Gott zu wissen wähnen! ... Und sich gedrungen fühlen, einen jeden,/ Der diesen Weg verfehlt, darauf zu lenken. – / Kaum können sie auch anders. Denn ist's wahr,/ Daß dieser Weg allein nur richtig führt: / Wie sollen sie gelassen ihre Freunde/ Auf einem andern wandeln sehn, – der ins/ Verderben stürzt, ins ewige Verderben?" Dieses Seufzen, Warnen, Beten und Drohen könne zwar auch zu guten und nützlichen Gedanken herausfordern, „ängste" und „quäle" aber vor allem, ihm müsse deshalb mit „Geduld" und vernunftvoller „Überlegung" begegnet werden (V,6).

Der gute Kern der „guten bösen Daja" bleibt, beispielhaft abschreckend, von diesem letztlich negativ interpretierten Eifer überlagert. Daja gehört zu den – im Sinne religiöser Toleranz – nicht lernenden Figuren des Dramas. Zeigt sie, die jahrelang in nächster Umgebung des „weisen" Nathan lebte, damit – realistisch – auch die Grenzen einer Erziehung zu toleranter Menschlichkeit?

Der Klosterbruder

Vorgeschichte

Der Klosterbruder erzählt Nathan seine Vorgeschichte (IV,7): Ehemals christlicher Kriegsknecht, hatte er sich als frommer Einsiedler (Eremit) vom Weltgetriebe zurückgezogen, wurde von räuberischen Arabern vertrieben, entkam ihrer Gefangenschaft und wird vom Patriarchen, von dem er die Zuweisung einer neuen Einsiedelei erwartet, unter Ausnutzung seines Gehorsamsgelübdes als Werkzeug gebraucht „zu allerlei,/ Wovor ich großen Ekel habe".

Gehorsam wider bessere Einsicht

Im Auftrag des Patriarchen sucht er den Tempelherrn auf (I,5), um ihn auszuhorchen und anzustiften, die Befestigungsanlagen Jerusalems auszukundschaften und Saladin womöglich gefangenzunehmen oder zu ermorden. Er läßt erkennen, daß er den Auftrag innerlich verabscheut (wiederholtes Schlüsselwort: „sagt der Patriarch"), und deutet, als der Tempelherr das Ansinnen entrüstet ablehnt, seine Situation an: „Ich geh; und geh vergnügter, als ich kam./ Verzeihe mir der Herr. Wir Klosterleute/ Sind schuldig, unsern Obern zu gehorchen". Vor der nächsten Begegnung mit dem Tempelherrn (IV,1) spricht er in einem kurzen Monolog seinen inneren Zwiespalt aus. Er, der sich freiwillig aus der Welt zurückgezogen hatte, wird durch die Aufträge des Bischofs gegen seinen Willen wieder in die Händel der Welt verwickelt. Den ratsuchenden Tempelherrn warnt er vor dem Machtanspruch der Kirche gegenüber dem Rittertum, doch entzieht er sich dem von ihm erbetenen direkten Rat mit dem Hinweis auf das Gehorsamsgelübde („ich habe ja/ Mich einer Sorge nur gelobt").

Als er dann vom Patriarchen den neuen Auftrag erhalten hat, den Juden ausfindig zu machen, der

ein getauftes Christenkind sich als Tochter erzie-
he (IV,2), schildert er Nathan seine Zwangslage
(IV,7). Er gesteht ihm, er habe vor achtzehn Jahren als Reitknecht Nathan ein kleines Christenmädchen anvertraut. Doch werde er Nathan deshalb nicht dem Patriarchen preisgeben. Er zeigt
natürliches Verständnis, indem er die Gründe
nennt, die Nathans Rolle als Ziehvater rechtfertigen. Mit ebensolcher natürlicher, einfacher Logik
begründet er seine persönliche Toleranz. Das ganze Christentum sei ja aufs Judentum gebaut, Jesus selbst Jude gewesen. Als Nathan daraufhin
der „frommen Einfalt" des Klosterbruders sein   **„Fromme Einfalt"**
eigenes Schicksal anvertraut – die Ermordung
seiner Familie durch Christen und seine Selbstüberwindung bis zur Annahme des hilflosen Chri-
stenkindes als neuen Auftrag Gottes –, sieht der
christliche Klosterbruder im Verhalten des Juden
ein Beispiel echten Christentums, Nathan im Verhalten des Klosterbruders wiederum vorbildliches
Judentum.

Nachdem der Klosterbruder Nathan das von ihm
aufbewahrte Gebetbuch Assads übergeben hat
(IV,4), ist seine Rolle im Drama beendet. Er kehrt
zum Patriarchen zurück, will diesem aber nicht
von der Begegnung mit Nathan berichten. Das
zeigt noch einmal, wie sich auch in ihm, obwohl
er nur Nebenfigur ist, das Menschenbild spiegelt,
das hinter den Figuren des Dramas sichtbar wird.
‚Guter Kern' und einzwängende ‚Schale' stehen
im Widerstreit. Die bessere Einsicht der Vernunft,
die „von Vorurteilen freie Liebe" haben in ihm zu
wirken begonnen. In „frommer Einfalt" durch-   **Das Dilemma der**
schaut und unterläuft er die Intrigen kirchlicher   **„frommen Einfalt"**
Machtpolitik. Doch in gleicher „frommer Einfalt"
weiß er sich andererseits noch durch sein Gehorsamsgelübde fest in die kirchliche Institution eingebunden.

Der Derwisch Al Hafi

Al Hafi, der moslemische Bettelmönch, als
Schachfreund Nathans von Daja eingeführt,
kommt zu Nathan (I,3), berichtet ihm von seiner
mehrfach paradoxen Situation und bittet ihn um
ein Darlehen für die leeren Kassen des Sultans.
Denn Sultan Saladin hat den Bettelmönch zum
Schatzmeister (Defterdar) seines höfischen Etats
gemacht. In seinem Land solle kein Mensch mehr
betteln müssen, und nur ein Bettler könne „mit
guter Weise Bettlern geben". Al Hafi sieht den inneren Widerspruch, die Narrheit („Geckerei") im
Verhalten des Sultans wie in seiner eigenen Situation: Saladins „gutherz'ger Wahn" ist ihm
fragwürdig („Bei Hunderttausenden die Menschen drücken,/ Ausmergeln, plündern, martern,
würgen; und/ Ein Menschenfreund an einzeln
scheinen wollen?" und „ ... des Höchsten (=Got-
tes) Milde nachzuäffen,/ Und nicht des Höchsten
immer volle Hand/ Zu haben?"). Und seine eigene
Narrheit sei es, an Saladins Narrheit „die gute
Seite dennoch auszuspüren", deshalb habe er das
Amt trotzdem annehmen müssen. Er ist zwiege-
teilt im Widerspruch des guten Menschen, der,
um Gutes zu tun, die schlechte Herkunft der Mittel dazu wissentlich in Kauf nimmt (was an
Brechts späteres Stück „Der gute Mensch von Se-
zuan" erinnern mag). Nathans freiheitsbetonen-
dem „Kein Mensch muß müssen" stellt er das innere Muß der sittlichen Verantwortung gegenüber: „Warum (=worum) man ihn recht bittet,/
Und er für gut erkennt: das muß ein Derwisch".
Doch bald will er sich aus dieser Zwangslage des
guten Menschen wieder zurückziehen in die Bedürfnislosigkeit seiner moslemischen Glaubensgemeinschaft „am Ganges". Nathan findet in ihm
den Gesinnungsgenossen, den „Menschen".
Als Al Hafi Sittah für das von Saladin verloren
gegebene Schachspiel auszahlen soll (II,2), kann
er nur leere Kasse melden, und als Saladin seinen
schachkundigen Rat nicht annehmen will, verrät
er in trotzigem Ärger, daß Sittah schon bisher mit

Saladins Geldgeschenken den Aufwand des Hofes bestritten habe. Auf Saladins Auftrag, Geld zu borgen, und Sittahs Verweis auf Nathan als möglichen Geldgeber verschweigt er, daß er Nathan schon vergeblich um Geld angegangen hat, versucht abzulenken und eilt, als ihm das nicht gelingt, erregt davon. Empört berichtet er Nathan (II,9) über Saladins Leichtfertigkeit beim Schachspiel und dessen „Verschwendung", die ihn, der nie für sich gebettelt habe, zwinge, für andere zu borgen, und die nun auch die „weise Milde" Nathans ruinieren werde. „Knall und Fall" entschließt er sich, zu seiner parsischen Glaubensgemeinschaft (den Ghebern) nach Indien zurückzukehren. Damit zerreißt er seine Verstrickung in das Netz von Geld und Macht – Verkörperung des ‚Aussteigers', der die Freiheit der Bedürfnislosigkeit sucht, um „ihm (=sich) selbst zu leben".

Freiheit der
Bedürfnislosigkeit

Das Beziehungsgefüge der Figuren

Sechs der zehn Figuren, die das Personenverzeichnis des Dramas nennt, sind durch die direkte Angabe ihrer Religion oder sogar nur durch ihre Zugehörigkeit zu einer religiösen Gemeinschaft gekennzeichnet: Nathan als Jude, Daja, Tempelherr, Patriarch und Klosterbruder als Christen, der Derwisch als Moslem. Daß auch Sultan Saladin, seine Schwester Sittah, der Emir und die Mamelucken Moslems sind, liegt auf der Hand, und in Nathans angenommener Tochter Recha darf man zunächst auch eine Jüdin vermuten. Damit läßt sich bereits das Zusammentreffen von Vertretern der drei großen monotheistischen Religionen erkennen: Moslems, Juden und Christen. Zudem ist der Schauplatz Jerusalem genannt, und die Figuren des (historischen) Sultans Saladin wie die des Tempelherrn deuten indirekt auf die Zeit der Kreuzzüge hin. Wenn der aufmerksame Beobachter aber dazuhin entdeckt, daß in den Figuren auch Adel, Bürger, Kirche und Personen

Vertreter dreier
Religionen im
Personen-
verzeichnis

niederen Standes vertreten sind, könnte ihn das –
hinter der doppelten Distanzierung von Ort und
Zeit – auch auf ständisch-hierarchische Aktualität des 18. Jahrhunderts hinweisen.

Im Drama sind die Konflikte zwischen den drei
Religionen als Ausgangssituation vorgegeben:
Christen kämpfen gegen Moslems, Juden werden
von Moslems verachtet und unterdrückt, von
Christen dazuhin verfolgt und sogar ermordet.
Vertreter aller drei Religionen sollen anderes
Denken, anderes Verhalten lernen. Der Schwerpunkt des Dramas liegt somit im Lernprozeß, in
der gedanklichen Auseinandersetzung zwischen
und in einzelnen Menschen. Das Religionsthema
wird zum Erziehungsthema. Hauptfiguren sind
die beispielhaft Lernenden aller drei Religionen –
Nathan, Recha, Saladin und der Tempelherr –,
von denen jeder durch eine Krise, eine Erschütterung seiner Identität, seines Selbstverständnisses
hindurchgeht und die am Schluß mit der Aufdek-
kung ihrer verwandtschaftlichen Beziehungen
Sinnfiguren der einen großen aufgeklärten
Menschheitsfamilie werden. Und so, wie sich
Christentum und Islam aus den Wurzeln der jüdischen Tradition (überliefert im Alten Testament
der Bibel) herleiten, erscheint auch Nathan als
der geistige Vater Rechas, des Tempelherrn und
in gewissem Maße auch Saladins; sein Lernweg
liegt in der Vorgeschichte des Dramas, und er
läßt sie im aufklärenden Dialog zu sich selbst finden, indem er ihnen bewußt macht, was sie ihrer
Anlage nach schon sind. Sultan Saladin ist zugleich der im Aufklärungsprozeß lernende absolutistische Monarch. In Recha und dem Tempelherrn könnte man dazuhin auch die Hoffnungs-
träger einer jungen Generation sehen: Orient und
Abendland vereinigen sich in ihrer Herkunft,
Recha lebt aus der Gedankenwelt der Weisheit
und Frömmigkeit Nathans, und die Erziehung des
Tempelherrn zu einer solchen Haltung mit seinen
Verwirrungen und Rückfällen nimmt den größten
Raum im Drama ein. Die Figur dieses jungen
Christen ist vor allem die in Lessings Auseinan-
dersetzung mit dem christlichen Dogmatismus

beispielhaft lernende Figur – beispielhaft sogar darüber hinaus für die Schwierigkeiten eines Menschen überhaupt auf dem Weg zu einem neuen Bewußtsein vernunftbegründeter Einsicht. Der Ansatz zur Liebeshandlung zwischen dem Tempelherrn und Recha verwandelt sich zuletzt in ein Sinnbild menschlicher Verschwisterung.

Die übrigen Figuren spiegeln das Religions- und Erziehungsthema auf unterschiedliche Weise. Absoluter Gegenpol zum Erziehungsgeschehen ist der christliche Patriarch. Als Vertreter eines intoleranten und intriganten kirchlichen Machtanspruchs über die Menschen würgt er den Dialog der Vernunft ab. Er macht so das beharrende, statische, dem lebendigen Kern der Religion entfremdete Prinzip sichtbar, nimmt deshalb am dynamischen Lerngeschehen, um das es im Drama geht, nicht teil, bleibt negativer Gegenpol, aber nicht direkter Gegenspieler und ist darum auf eine Nebenrolle beschränkt. Die Gefährlichkeit der militanten Intoleranz, die er vertritt, ist damit freilich nicht aufgehoben und lauert latent im Hintergrund des ganzen Dramas.

Die beiden anderen Christen, Daja und der Klosterbruder, sind ‚gemischte' Charaktere: Ihr ‚guter Kern' wird sichtbar, doch stößt Daja noch gar nicht, der Klosterbruder nur ansatzweise zur befreienden Erkenntnis durch. Daja vertritt in ihrem schwärmerischen, bedrängenden Religionseifer ebenfalls eine Erscheinungsform religiöser Intoleranz. Der Klosterbruder durchschaut die Intrigen kirchlicher Machtpolitik, läßt sich aber wider seine bessere Einsicht als Werkzeug eben dieser Intoleranz mißbrauchen, auch wenn er sie auf verschmitzte Weise immer wieder zu unterlaufen sucht. Damit wird er zum Gegenbeispiel sowohl des Tempelherrn, der sich mit Nathans, Rechas und Saladins Hilfe aus dem bloßen Pflicht- und Gehorsamsdenken zu lösen vermag, wie auch Al Hafis, der seine Einbindung in das Netz von Geld und Macht „Knall und Fall" zerreißt. Auch Sittah gehört zu den nichtlernenden Nebenfiguren. In ihrer selbstlosen Großherzigkeit Saladin ebenbür-

tig und realistisch-skeptische Kritikerin seiner
Versöhnungshoffnungen ist sie doch auch die nur
Weltkluge, die für den abhängigen Untertan Nathan die listige Falle erdenkt. Allein Al Hafi, den-
kender „Mensch" wie Nathan, ringt sich zu einer
vernunftgeleitete eigenverantwortlichen Entscheidung durch, indem er sich aus dem Weltge-
schehen zurückzieht. Mit diesem Lösungsversuch
wird er wiederum zur herausfordernden Kontrast-
figur der Weltgebundenheit Saladins und dessen
Dilemma des ‚guten Menschen'. Nathans Reichtum und tätiger Weltzuwendung setzt er freiwilli-
ge Armut und Weltabkehr entgegen. Als seine
Funktion erfüllt ist, scheidet er am Ende des
zweiten Aufzugs aus dem Geschehen aus.

Funktionen der
Figuren für den
Geschehensablauf

Ein zweites Beziehungsnetz der Figuren ergibt
sich aus ihren Funktionen für den Ablauf der
dramatischen Handlung. Zum einen erfüllen die
Nebenfiguren auch die simple dramatische Funktion von Gesprächspartnern, wenn es darum geht,
Handlungsinformationen zu geben, Übergänge
zwischen den Szenen einzuleiten oder innere Auseinandersetzung nicht nur in Monologen aufzu-
zeigen: Daja, Al Hafi, Sittah, der Klosterbruder,
Mamelucken und der Emir übernehmen auch diese Funktion. Zum anderen aber sind alle Figuren
eingewoben in einen Geschehensablauf aus zunächst unwahrscheinlich anmutenden scheinbaren Zufällen und streng kausal verknüpften
Handlungsabläufen, deren treibende Motive äußerlich Saladins Geldmangel und das Geheimnis
um Rechas und des Tempelherrn Herkunft, innerlich das Erziehungsmotiv sind. Al Hafi führt in
die Geldnot des Sultans ein (I,3; II,2), Sittah
bringt Nathan als Geldgeber ins Spiel und entwirft den Anschlag auf Nathan (II,2; III,4) und
veranlaßt so Nathans Begegnung mit Saladin, die
Erzählung der Ringparabel und Saladins ‚Erziehung'. Daja deutet Rechas Herkunftsgeheimnis
bereits in der ersten Szene an (I,1) und treibt seine Enthüllung voran (III,1; III,10; IV,6; IV,8; V,6),
der Klosterbruder löst Nathan den „Knoten"
auch der Herkunft des Tempelherrn (IV,7; V,4).
Daja gibt schließlich durch ihren Bericht von

Rechas Engelglauben auch Anlaß zur Einführung des Motivs der Erziehung vom „Wahn" zur „Wahrheit" (I,1), zum Beispiel der Erziehung Rechas (I,2), zum Rückfall des Tempelherrn (III,10) und zu Rechas Verwirrung über die „wahre" Vaterschaft. Al Hafi, der Tempelherr und Saladin geben Nathan Gelegenheit, sein Menschenbild vorzustellen (I,3; II,5; III,6+7). Der Klosterbruder veranlaßt Nathan zur Schilderung seines eigenen Schlüsselerlebnisses (IV,7). Nathan bewirkt die Erziehung Rechas und Saladins und, mit beider Hilfe, auch die des Tempelherrn.

Dieses komplexe Geflecht von scheinbar unwahrscheinlichen Zufällen und realen Kausalitäten erhält durch Nathan (I,2; IV,7), Daja und den Tempelherrn (III,10) endlich noch eine tiefere Deutung als Sinnbild für das verborgene Wirken der „Vorsicht" Gottes, der das Ganze der Geschichte wie die Schicksale einzelner Menschen „gern an den schwächsten Fäden lenkt" (I,2) und dabei sogar aus den Intrigen des Patriarchen noch Positives zu bewirken vermag (IV,2; V,5: „Dank sei dem Patriarchen ... ") – Sinnbild einer göttlichen „Erziehung des Menschengeschlechts".

Sinnbild für das verborgene Wirken der göttlichen Vorsehung

Zur Kunstform

Lessings Dramentheorie

Theater zu Beginn des 18. Jahrhunderts

Zu Beginn des 18. Jahrhunderts war die Theaterlandschaft in Deutschland noch bestimmt von lateinischen Gelehrtenstücken, dem historischen Barockdrama, der klassizistischen französischen Tragödie, italienischen Opern und den umherziehenden Wandertruppen mit bombastischen „Haupt- und Staatsaktionen" und Harlekinaden.

Johann Christoph Gottsched

Zwischen 1730 und 1750 bereitet der Leipziger Literaturprofessor Johann Christoph Gottsched den Weg für eine nationale muttersprachliche Dichtung und hebt das Drama auf ein literarisch und gesellschaftlich anerkanntes Niveau. Gottsched ist überzeugter Aufklärer.

„Die Besserung des menschlichen Herzens"

„Die Besserung des menschlichen Herzens" gilt ihm als Aufgabe der Literatur. Theaterstücke sollen lehrreich sein, moralische Lehrsätze illustrieren, d.h. Laster und Leidenschaften anprangern, Tugenden vorspielen. Besondere Wirkung kommt der Tragödie zu.

Rückgriff auf Aristoteles

Gottsched greift dabei auf die Poetik des Aristoteles zurück. Dieser hatte der Tragödie die Wirkung einer Reinigung (Katharsis) zugeschrieben, indem sie „eleos" (Jammer, Mitleiden) und „phobos" (Schauder, Schrecken, Furcht) erzeuge. Gottsched interpretiert diese Reinigung im Sinne

Erkenntnis und Abhärtung

einer verstandesmäßigen Erkenntnis und zugleich einer Erziehung zur Abhärtung:

> „Ein Trauerspiel ... ist eine allegorische (gleichnishafte) Fabel, die eine Hauptlehre zur Absicht hat und die stärksten Leidenschaften ihrer Zuhörer, als Verwunderung, Mitleiden und Schrekken, zu dem Ende erreget, damit sie dieselben in ihre gehörigen Schranken bringen möge. Die Tragödie ist also ein Bild der Unglücksfälle, die den Großen dieser Welt begegnen und von ihnen entweder heldenmütig und standhaft ertragen oder großmütig überwunden werden. Sie ist eine

Schule der Geduld und Weisheit, eine Vorberei-
tung zu Trübsalen, eine Aufmunterung zur Tugend, eine Züchtigung der Laster. Die Tragödie
... schicket ihre Zuschauer allezeit klüger, vorsichtiger und standhafter nach Hause."

Als Rationalist versucht Gottsched, die Literatur
festen Vernunftregeln zu unterwerfen. Die Gattungen sind streng zu unterscheiden und sollen
Regeln gehorchen, die er wiederum aus der Poetik
des Aristoteles abzuleiten sucht. Für die gat-
tungsmäßige Trennung der Theaterstücke gilt die
Ständeklausel. Tragödien haben – in gehobener
Sprache und strenger Versform – mit hohen Themen unter Königen und Fürsten zu spielen, Ko-
mödien in Prosa unter Bürgern und einfachem
Volk. Nach dem Gesetz der drei Einheiten (Handlung, Ort, Zeit) soll es nur einen Handlungsstrang
auf nur einem Schauplatz in nur einem Tagesab-
lauf geben. Vorbild für die „deutsche Schaubüh-
ne" sind Gottsched dabei die klassizistische französische Tragödie (Corneille, Racine) und Komödie (Molière). Gottscheds und seiner Schüler Be-
mühungen um ein deutsches Nationaltheater mit
stehenden Bühnen und festen Ensembles in den
größeren Städten scheitern freilich zunächst, weil
die geforderten öffentlichen Subventionierungen
ausbleiben – zuletzt in Hamburg 1769, wo Lessing wirkte. Erst um die Jahrhundertwende greifen absolutistische Fürsten die Idee solcher Thea-
tergründungen auf, unterwerfen die Bühnen allerdings damit ihrem Einfluß.

Lessing setzt sich jahrzehntelang als Dramenautor wie (von 1767 bis 1769) als künstlerischer Be-
rater und Kritiker des Hamburger (National-)
Theaters mit Dramentheorie und Theaterpraxis
auseinander, besonders in seinen Abhandlungen
über das Lustspiel (1754), in den „Briefen, die
neueste Literatur betreffend" (1759/60) und in
seiner „Hamburgischen Dramaturgie" (1767/69).
Seine Dramentheorie wie seine Dramen selbst –
zuletzt der „Nathan" – zeigen, wie er auch hier
auf dialektische Weise Tradition aufnimmt und
sie zugleich in Frage stellt und jeweils kreativ
weiterentwickelt. Nicht einengende rationalisti-

**Feste Vernunft-
regeln für die
Literatur**

**Französische
Klassik als Vorbild**

**Bemühen um ein
deutsches
Nationaltheater**

**Lessings
Dramentheorie**

sche Vernunftregeln, sondern vernunftvolle Natürlichkeit strebt er an. Damit setzt er sich Gottscheds Forderungen entgegen.

Aufhebung der
Ständeklausel

So bricht Lessing die Ständeklausel. Nicht mehr dem hohen Adel ist die Tragödie, den niederen Ständen die Komödie vorbehalten. Nach modernem englischen Vorbild schreibt er mit „Miß Sarah Sampson" (1755) das erste <u>bürgerliche</u> Trauerspiel in Deutschland. In seinem Lustspiel „Minna von Barnhelm" (1767) – einem der wenigen großen deutschen Lustspiele überhaupt – sind die Hauptfiguren wieder Personen von Adel. In seiner als Modell einer Tragödie entworfenen „Emilia Galotti" (1772) stoßen fürstlicher Adel und Bürgertum auf tragische Weise zusammen. Im ‚dramatischen Gedicht' des „Nathan" (1779) schließlich sind nicht nur die Gattungsgrenzen aufgehoben, sondern die Protagonisten der verschiedenen Stände entdecken auch ihr gemeinsames „Mensch"sein.

Prosa anstelle der
Versform

Wie die Ständeklausel bricht Lessing auch die Tradition der Zuweisung der Versform für die Tragödie und der Prosa für das Lustspiel. Seine Trauerspiele „Miß Sarah Sampson" und „Emilia Galotti" schreibt er in Prosa. Und als er im ‚dramatischen Gedicht' des „Nathan" die Verssprache wieder aufnimmt, ist es nicht der gereimte sechsfüßige Jambus des französischen Vorbilds, der ‚Alexandriner', sondern der reimlose, in der deutschen Sprache natürlicher fließende fünffüßige Jambus Shakespeares, der ‚Blankvers'. Vor allem durch Lessing wurde dieser Blankvers wiederum selbst zum Vorbild für den Vers der Dramen der deutschen Klassik und ihrer Nachfolger.

Shakespeares
‚Blankvers' im
„Nathan"

Innere Ganzheit
der Handlung

Auch nicht das von Gottsched geforderte äußerliche Einhalten der drei Einheiten der Zeit, des Ortes und der Handlung ist für Lessing entscheidend, sondern die auch für Aristoteles zentrale innere Ganzheit der Handlung. Dichterisch gestaltete Handlung ist für Lessing eine „Folge von Veränderungen, die zusammen ein Ganzes ausmachen. Diese Einheit des Ganzen beruht auf der Übereinstimmung aller Teile zu einem Endzwekke" (so in „Abhandlungen über die Fabel", 1759).

Aus den wenigen Gliedern, die der Dramenautor aus „dem ewigen unendlichen Zusammenhang aller Dinge herausnimmt", „sollte er ein Ganzes machen, das völlig sich rundet, wo eines aus dem andern sich völlig erkläret ... Das Ganze dieses sterblichen Schöpfers sollte ein Schattenriß von dem Ganzen des ewigen Schöpfers sein ... " (Hamburgische Dramaturgie, 79. Stück, 1768). Lessings Ziel ist also nicht naturalistische Nachahmung, sondern ein absichtsvoll konstruiertes Modell der Wirklichkeit.

Damit entspricht Lessings Dramenideal (wie auch die Komposition des „Nathan") dem, was man heute die „geschlossene Form" des Dramas nennt. Während die „offene Form" (auch der Sturm- und Drang-Dramen und der meisten modernen Stücke) – gleichsam entdramatisiert – „soziale und psychische <u>Zustände</u> protokolliert und in Handlungen übersetzt" (Robert Neumann, a.a.O), ist Handlung für Lessing – und in der „geschlossenen Form" – ein ganzheitlicher, zusammenhängender <u>Vorgang</u>.

Geschlossene Form

Vernunftvolle Natürlichkeit und innere Ganzheit der Handlung findet Lessing in den Dramen Shakespeares. Leidenschaftlich lehnt er Gottscheds Anlehnung an das klassizistische französische Theater ab. Er begründet das im Siebzehnten seiner „Briefe, die neueste Literatur betreffend" (1759). Corneille und Racine kämen zwar „durch die mühsamen Vollkommenheiten der Kunst" der „mechanischen Einrichtung" (den äußeren Regeln) der altgriechischen Tragödie näher, aber Shakespeares „Genie ... , das alles bloß der Natur zu danken zu haben scheinet" erreiche fast immer ihr Wesentliches, ihren eigentlichen Zweck. Die „furchtsame" höfische Stilisierung der Franzosen („das Artige, das Zärtliche, das Verliebte") ermüde durch ihre Einseitigkeit, „die zu große Einfalt". Auf die deutsche Denkungsart, den deutschen Geschmack wirke besser „das Große, das Schreckliche, das Melancholische", „die große Verwickelung" der Stücke Shakespeares. – Auch das Zusammenspiel tragischer und komischer Elemente gehört zur Lebensfülle der Dra-

Shakespeare als Vorbild

men Shakespeares. Lessing bringt es ein in die Komposition des „Nathan". Und von Shakespeare übernimmt er, wie bereits dargestellt, auch die Versform des „Nathan", den Blankvers. (Genaueres darüber im Kapitel ‚Sprachform und theatralische Mittel')

Theater und Zuschauer

Vor allem aber versteht Lessing das Verhältnis zwischen Theater und Zuschauer anders als Gottsched. Man habe die Wirkung, die Aristoteles der Katharsis zuschreibe, falsch verstanden, falsch übersetzt:

Mitleid und Furcht

> „Er [Aristoteles] spricht von Mitleid und Furcht, nicht von Mitleid und Schrecken; und seine Furcht ist durchaus nicht die Furcht, welche uns das bevorstehende Übel eines anderen, für diesen anderen, erweckt, sondern es ist die Furcht, welche aus unserer Ähnlichkeit mit der leidenden Person für uns selbst entspringt; ... diese Furcht ist das auf uns selbst bezogene Mitleid." (Hamburgische Dramaturgie, 75. Stück, 1768)

Schon Jahre vorher hatte Lessing einem Freund geschrieben:

> „ ... die Bestimmung der Tragödie ist diese: sie soll <u>unsere Fähigkeit, Mitleid zu fühlen</u>, erweitern. (...) <u>Der mitleidigste Mensch ist der beste Mensch</u>, zu allen gesellschaftlichen Tugenden, zu allen Arten der Großmut der aufgelegteste" (Brief an Friedrich Nicolai, November 1756).

Lessing sieht die Aufgabe der Tragödie also nicht nur, wie Gottsched, in der rationalen moralischen Belehrung des Verstandes oder in der Abhärtung gegenüber möglichen eigenen Schicksalsschlägen. Ihm geht es darüber hinaus vornehmlich um die Weckung und Erweiterung der emotionalen, der seelischen Empfindungsfähigkeit des Zuschauers. Durch die Einübung „unserer Fähigkeit, Mitleid zu fühlen" ist ihm die Tragödie Mittel einer allgemeinen Humanisierung des Menschen.

Aus diesem Zusammenhang begründet Lessing, wie auch schon Aristoteles, seine Forderung der ‚gemischten Charaktere'. Schon für das Lustspiel hatte er verlangt, nicht sollten nur Untugenden verlacht (wie im älteren „Possenspiel") oder Tugenden vorgespielt werden (wie im neuen bürger-

Gemischte Charaktere

lichen „rührenden Lustspiel"), sondern wahre Menschen sollten auftreten, die sowohl Tugenden wie Untugenden haben. Jetzt argumentiert er mit Aristoteles: „Es beruht aber alles auf dem Begriffe, den sich Aristoteles von dem Mitleiden gemacht hat." Auch der Dichter der Tragödie müsse seine Figuren „mit uns von gleichem Schrot und Korne" schildern, denn erst aus dieser Gleichheit mit uns entstehe die Furcht, daß unser Schicksal gar leicht dem des Unglücklichen ähnlich werden könne. Diese Furcht sei es, welche das Mitleid gleichsam zur Reife bringe. (Hamburgische Dramaturgie, 75. Stück, 1768)

Lessing strebt mit dieser Zielsetzung allerdings kein bloßes „Einfühlungstheater" an (wie das später vor allem Brecht dem sogenannten „aristotelischen" Theater vorwirft). In jedem der großen Stücke Lessings fungiert nämlich zugleich wenigstens eine der Figuren als kommentierende, kritisches Verstehen anregende Stimme der Vernunft, als „Raisonneur". Theater soll also, wenn wir Lessing richtig verstehen, im Zuschauer mehrere Fähigkeiten „zur Reife bringen": Gefühl und Vernunft, Mitleid und Verstehen, subjektives Betroffensein und objektives Erkennen und Selbsterkennen. Damit distanziert sich Lessing gleichermaßen von Gottscheds objektivierendem lehrhaften Regeltheater wie von der subjektiv punktuellen Perspektivität der Sturm-und-Drang-Stücke und wird so zum Wegbereiter der deutschen Klassik.

Kommentare der Vernunft

Wegbereiter der deutschen Klassik

Gattungsproblematik und dramatische Komposition im „Nathan"

Wie Lessing Tradition aufnimmt und sie zugleich auf schöpferische Weise verändert und überschreitet, zeigt auch die dramatische Komposition des „Nathan".

Die offene Formulierung des Untertitels zum „Nathan" mag überraschen: „Ein dramatisches Gedicht in fünf Aufzügen". Soll sie eine Schutzfunktion haben: ein „Gedicht", also keine argumentative Streitschrift, deren Veröffentlichung Lessing verboten war, ein „dramatisches Gedicht", also scheinbar nur zum Lesen und nicht für eine Aufführung auf dem Theater bestimmt? Auf jeden Fall aber dürfte der Dramentheoretiker Lessing damit auch eine Offenheit der dramatischen Gattung signalisieren, die er weder als „Trauerspiel" (wie „Emilia Galotti") noch als „Lustspiel" (wie „Minna von Barnhelm") zu bestimmen geneigt ist. Lessing überschreitet damit selbst die von ihm in der „Hamburger Dramaturgie" noch vertretenen Gattungsgrenzen. Das Zusammenspiel tragischer und komischer Elemente, das bei Shakespeare noch in eine Gattungsform eingebunden war, sprengt im „Nathan" die Form der traditionellen Gattungen. Widerspricht schon der gute Ausgang des Stückes dem Untergang der „Helden" einer Tragödie, so läßt sich andererseits das ernste Gewicht der Handlung nicht als Komödie fassen. Jede gelungene Aufführung des „Nathan" offenbart schon im Lachen der Zuschauer die heiteren, an Mozarts Opern erinnernden lustspielhaften Elemente des Dramas: Dajas übereifrige bornierte Besorgtheit; Al Hafis wortspielerische Erregtheit; die verschmitzte Einfalt des Klosterbruders; Nathans lächelnd weise Ironisierungen Dajas, Rechas, Al Hafis und des Tempelherrn; das Verwirrspiel der Verwandtschaftsverhältnisse und die auflösende Wiedererkennung in der Schlußszene bis hin zum heiter-hintergründigen Schlußwort Saladins. An die Tragödie rühren dagegen die blutigen Glaubenskriege, die Er-

„Dramatisches Gedicht"

Weder Trauerspiel noch Lustspiel

102

mordung der Familie Nathans, seine neue Gefährdung durch die intolerante Gesetzesauslegung des Patriarchen, durch des Tempelherrn impulsiv unbedachtes Eintreten für seine Liebe, das die Katastrophe heraufzubeschwören droht.

Lessing wahrt im „Nathan" zunächst die klassischen drei Einheiten: die Einheit der Handlung („die Übereinstimmung aller Teile zu einem Endzwecke", vgl. den Abschnitt über Lessings Dramentheorie) und die Einheit der Zeit (unmittelbarer Fortgang der Handlung am gleichen Tag); die Einheit des Ortes ist zwar „in Jerusalem" gegeben, aber durch den Wechsel der Schauplätze freier gehandhabt. Zugleich aber werden alle drei Einheiten im Drama aufgebrochen, überschritten, transzendiert. Der Ort Jerusalem – idealer Schauplatz für die nahe Begegnung von Juden, Christen und Moslems – steht zugleich stellvertretend für jeden Ort der Erde: „Möcht' auch doch/ Die ganze Welt uns hören", wünscht Nathan zu Beginn der Ringerzählung. Die dramatische Zeit – innerhalb eines einzigen Tages zur Zeit der Kreuzzüge 1192 – wird erweitert nicht nur in die Vergangenheit, sondern auch in alle Zukunft. Bereits in der Vergangenheit haben Juden, Christen und Moslems sich nicht nur blutig bekämpft, sondern auch gute Taten getan, auch wenn die Motive noch unterschiedlich waren (die drei guten Taten der Vorgeschichte, s.o.). Der Rat des Richters der Ringparabel dagegen, den rechten Glauben durch tätige Liebe zu beweisen, bis „über tausend tausend Jahre" ein anderer Richter das Urteil sprechen werde, weist auf jeden Zeitpunkt der Zukunft hin, also auch auf unsere Gegenwart und darüber hinaus auf das Ende aller Zeiten, das ‚Eschaton'. Die gleiche Transzendierung erfährt die Einheit der Handlung in der Fabel, wenn in der symbolisch-utopischen Schlußszene Menschen verschiedener Völker und Religionen ihre Verwandtschaft erkennen und so das Erziehungsgeschehen an den Figuren des Dramas stellvertretend wird für eine „Erziehung des Menschengeschlechts".

**Begrenzte Anzahl
der Figuren**

**Transzendierung
der Figuren**

Die begrenzte Anzahl der Figuren im „Nathan"
entspricht zunächst der antiken klassischen Überlieferung. Lessing transzendiert freilich auch diese traditionelle Begrenzung. Die Figuren erweisen
sich als Angehörige verschiedener Religionen,
verschiedener Völker, verschiedener Stände; sie
zeigen unterschiedliche Möglichkeiten religiösen
(und menschlichen) Verhaltens; sie offenbaren
sich schließlich symbolisch – zumindest in den
Hauptfiguren – als Glieder der einen großen
Menschheitsfamilie.

**Die klassische
Struktur der fünf
Aufzüge**

Auch die Handlung des „Nathan" ist zunächst
äußerlich durch das traditionelle Schema der fünf
Aufzüge strukturiert. Die Einleitung oder Exposition (I) stellt Nathan und den Tempelherrn, ihre
unmittelbare Vorgeschichte und die Ausgangssituation vor und macht die konfliktträchtigen
Spannungen sichtbar (das Herkunftsgeheimnis,
Saladins Geldnot, das Verhältnis zwischen Juden,
Christen und Moslems, den Leitgedanken der Erziehung vom „Wahn" zur „Wahrheit"). Entwicklung bzw. Steigerung des Geschehens (II) bringen
die Vorstellung Saladins und seiner Schwester
mit der Konkretisierung seines Geldmangels, der
Beginn der Erziehung des Tempelherrn, Al Hafis
Alternative der Weltabkehr. Die Wende oder Peripetie (III) führt vom Höhepunkt einer sich an-
bahnenden Lösung (der Tempelherr liebt das Judenmädchen, Nathan erzieht Saladin und über-
brückt dessen Geldnot) zu neuer Komplikation
(die Verwirrung des Tempelherrn durch Nathans
Zurückhaltung und Dajas Mitteilung der christlichen Herkunft Rechas). Die sich daraus entwik-
kelnde Umkehr (als Krise, IV) bringt die Handlung an den Rand einer Katastrophe (der Tempelherr sucht Rat beim Patriarchen, verklagt Nathan
beim Sultan; Nathans Erzählung seiner Vorgeschichte zeigt auch den furchtbaren Ernst der
neuen Bedrohung), bereitet aber zugleich die Lösung vor. Die Lösung (V) führt zum gegenseitigen
Wiedererkennen der Bluts- und Geistesverwandten und mündet in das symbolträchtige Schlußbild.

Diese klassische fünfaktige Gliederung wird wiederum überlagert durch zwei weitere Kompositionsstrukturen. Da ist zum einen das Leitthema der Erziehung (vom „Wahn" zur „Wahrheit"), das innere Mittelpunkte in jedem der fünf Aufzüge schafft: Rechas Erziehung (I,2), der Beginn der Erziehung des Tempelherrn (II,5), Saladins Erziehung (III,5-7), Nathans Schilderung seiner Selbsterziehung (IV,7) und das Wiedererkennen der Bluts- und Geistesverwandtschaft (V,8).

Zum anderen erscheint die Handlung als konzentrisch um die Ringparabel als Mittelpunkt (III,7) herum angelegt. Die Ringerzählung wird vom ersten bis zum dritten Aufzug vorbereitet, äußerlich durch die sich steigernden Hinweise auf die Geldnot des Sultans und den listigen Plan Sittahs, innerlich durch die wiederholte Thematisierung der Glaubensgegensätze, der Religionskriege. Zwei im zweiten Aufzug angedeutete Lösungsversuche bleiben am Rand: Die kollektive Lösung Sultan Saladins, durch Heiratsdiplomatie einen moslemisch-christlichen Mischstaat zu gründen, scheitert am intoleranten Machtstreben der Christen, die private Lösung des Derwischs Al Hafi, der sich aus der weltlichen Verstrickung in die bedürfnislose Weltabkehr seiner religiösen Gruppe zurückzieht, kann Nathan nicht mittragen. Die Ringparabel im dritten Aufzug zielt auf ein verändertes Bewußtsein des Einzelmenschen und auf seine tätige Bewährung innerhalb der Welt. Im vierten und fünften Aufzug endet dann äußerlich die Geldnot des Sultans, die zur Erzählung der Ringparabel führte. Innerlich wird der Inhalt der Parabel auf die Gegenwart der Dramenhandlung übertragen. Die Gefahren religiöser Intoleranz treten in gesteigerter Form zutage (der Rückfall des Tempelherrn, die Machtideologie des Patriarchen, die Ermordung der Familie Nathans, der Missionseifer Dajas), zugleich aber werden ihnen Beispiele für die Bewährung des richterlichen Rates im Verhalten Saladins und Nathans und in der Schlußszene entgegengesetzt. Die gesamte Handlung, die Fabel des Dramas, läßt sich somit auch als um die Ringparabel herum angelegte große Parabel deuten. Fabel und Parabel verdeutlichen sich gegenseitig in einem untrennbaren ganzheitlichen dramatischen Geflecht, das sich nicht auf einige Lehrsätze verkürzen läßt. Nathan spiegelt sich in der Parabel in der Figur des ratgebenden Richters, die Fabel des Dramas spiegelt den Streit der Söhne und die Möglichkeit seiner Lösung. Die Ringparabel ist ein „Denkmodell", das Drama versucht, dessen Auswirkungen auf die Praxis sichtbar zu machen.

Dabei integriert Lessing auch die beiden Möglichkeiten des „synthetischen" und des „analytischen" Dramas. Im analytischen Drama sind die wesentlichen Voraussetzungen bereits von Beginn des Dramas gegeben und werden im Verlauf der Handlung allmählich enthüllt (berühmtestes Beispiel ist Sophokles' „König Ödipus"); im synthetischen Drama wird durch die sich entfaltende Handlung Veränderung bewirkt, werden Konflikte zu Lösungen auf höherer Ebene geführt. Analytisches Moment im „Nathan" ist einmal die vorgegebene Verwandtschaft der Hauptfiguren, die erst allmählich offenbar wird und innerlich nachvollzogen und angeeignet werden muß. Zum anderen sind auch die drei guten Taten der Vorgeschichte analytische Momente, die darauf hinweisen, daß Menschen aller Religionen fähig sind, Gutes zu tun (Nathan hat das Christenmädchen Recha angenommen, Saladin den christlichen Tempelherrn begnadigt, der Tempelherr das vermeintliche Judenmädchen gerettet), wobei die Enthüllung der Vorgeschichte Nathans (IV,7) dazuhin den Ursprung seiner „Weisheit" begreiflich macht. Die durch Nathan (I,2; V,5 „Dank sei dem Patriarchen ... "), Daja und den Tempelherrn (III,10) angedeuteten Hinweise auf Gott, die göttliche „Vorsicht" als Lenker der Geschichte könnten es sogar erlauben, als grundlegendes analytisches Moment einen göttlichen Heilsplan der „Erziehung des Menschengeschlechts" zu erkennen, der sich im gesamten dramatischen Geschehen allmählich offenbart. Synthetisch entfaltet sich dann das Leitthema des Erziehungsgeschehens – die Menschen müssen sich als Subjekte ihrer eigenen Geschichte bewähren – zu einem veränderten Bewußtsein auf höherer Ebene. Sowohl die <u>Erkenntnis</u> der Zusammengehörigkeit aller Menschen über alle trennenden Schranken hinweg gehört dazu wie auch ein <u>Verhalten</u>, das dem Rat des Richters der Ringparabel entspricht.

Wie kunstvoll Lessing auch einzelne Szenengruppen, einzelne Auftritte komponiert, mag zum Teil schon aus den Inhaltsangaben im Kapitel „Die dramatische Handlung" ersichtlich geworden sein. Als Beispiel sei hier die Komposition des ersten Auftritts (I,1) aufgezeigt. In fünf Gesprächsschritten gestaltet Lessing seine Exposition:

Dramatische Komposition einzelner Auftritte: I,1 als Beispiel

(1) Mit einer Gegenbewegung setzt die Szene ein: „Nathan, von der Reise kommend, Daja ihm entgegen". Um Nathan ist noch Weite, Luft, Glanz der Ferne (expositorisch wird dabei der geographische Handlungsraum, der Handlungsort Jerusalem eingeführt); Daja ist voll des sensationsgeladenen Mitteilungsbedürfnisses über die häuslichen Ereignisse. Mit souveränem Gleichmut reagiert Nathan auf die Mitteilung vom Brand des Hauses (erste Charakterisierung seiner Haltung gegenüber materiellem Besitz), gerät aber in große Erregung über die Nachricht von Rechas Gefährdung (im wiederholten „verbrannt" zeigt sich seine innere Bindung an Recha wie seine Erinnerung an das – erst später in IV,7 offenbarte – Darun-Erlebnis: die Verbrennung seiner Familie, die „Tugend" seiner guten Tat, die ihn zu Rechas Vater macht, aber auch zum „Weisen" reifen ließ).

(2) Dajas Infragestellung seines Ausrufs „O meine Recha!" führt das Geheimnis um Rechas Herkunft ein, das zum Motor der dramatischen Handlung wird, und deutet, noch verdeckt, sowohl Dajas Glaubenseifer an („mein Gewsissen" – „schweig") wie auch mit Nathans „Doch bin ich nur ein Jude" den dramatischen Konflikt zwischen den Angehörigen verschiedener Religionen.

(3) Saladin und der Tempelherr werden erstmals indirekt vorgestellt, damit die Zeit der mittelal-

terlichen Kreuzzüge angedeutet, und ihre beiden ‚guten Taten' berichtet.

(4) Dajas Bericht vom „bittern Spott" des Tempelherrn zeigt dessen Intoleranz und verstärkt damit das Thema des Religionskonflikts.

(5) Nathans Reaktion auf Dajas Schilderung der von ihr unterstützten Engelschwärmerei Rechas führt am Ende der Szene zum inneren Leitmotiv des Dramas: die Erziehung vom „Wahn" zur „Wahrheit".

Sprachform und theatralische Mittel

Verzicht auf äußere Theatralik

Lessings „Nathan" ist ein sprödes Drama. Wer spannende äußere Dramatik (‚action') sucht, ist zunächst abgeschreckt. Äußeres scheint fast nebensächlich. Nicht nur sind äußere dramatische Effekte weitgehend ausgespart – auch die Angaben zum Bühnenbild umreißen nur grob die Schauplätze („Flur in Nathans Hause", „ein Platz mit Palmen", „des Sultans Palast" ...); zu Ausstattung, Kostümierung, Requisiten findet sich eine einzige, sehr offene Anweisung (der Patriarch kommt „mit allem geistlichen Pomp", IV,2); sonst beschränken sich die seltenen und knappen Regieanweisungen auf pantomimische Szeneneinleitungen und -schlüsse (z.B. I,1; I,5 ...), auf eine wichtige Geste (Nathan greift „nach dem Zipfel" des Mantels des Tempelherrn, II,5) und vor allem auf Hinweise zum Gemütszustand einzelner Figuren („mit Erstaunen", „verwirrt", „betroffen").

Gewicht auf innerem Geschehen

Sie zeigen damit ebenfalls, daß das Gewicht der dramatischen Handlung auf innerem Geschehen liegt. Wenn dramatische Handlung aus Konflikten zwischen Menschengruppen, zwischen einzelnen Menschen und in einzelnen Menschen erwächst, so ist das zentrale Konfliktthema im „Nathan" die Auseinandersetzung zwischen Vorurteilen und kritischem Denken (zwischen „Wahn" und „Wahrheit"), die sich notwendigerweise vorwiegend auf einer gedanklichen, geistigen Ebene abspielt.

Menschen sollen neues Denken lernen, und das geschieht im Drama durch Dialoge zwischen einzelnen Figuren. Im Dialog der Vernunft – dem gegenseitigen Austauschen und Korrigieren subjektiver Meinungen und Teilwahrheiten – vollzieht sich für Lessing die Annäherung des Denkens an die Wahrheit (zu Lessings Wahrheitsbegriff vgl. S. 61).

Mehrere dialogische Sprachformen könnten im „Nathan" unterschieden werden. Da ist zum einen der offene Dialog, den Nathan und Al Hafi (I,3; II,9), Nathan und der Klosterbruder (IV,7) führen. Zwischen ihnen stehen weder Machtansprüche noch Vorurteile als Hindernisse, offen geht jeder auf den anderen ein, offenbart sich selbst, nimmt die guten Argumente des anderen an, korrigiert sich selbst dabei, wo es nötig ist, läßt die als Alternative erkannte Position des anderen freimütig gelten. Dabei enthält der Dialog Nathans mit Al Hafi in seinem witzig-schlagfertigen Wortwechsel lustspielhafte Partien, die in I,3 im Wortspiel vom „Gecken" (Narren) gipfeln (zehnmal Geck, Geckerei ...). Auch die ironisierenden Herausforderungen Nathans (gegenüber Recha I,2; dem Tempelherrn II,5; Al Hafi II,9) und Rechas (gegenüber dem Tempelherrn III,2) sind ans Lustspiel grenzende Elemente.

Als Lehrdialoge könnte man die großen Dialoge Nathans mit Recha (I,2), mit dem Tempelherrn (II,5), mit Saladin (III,5+7) und den Dialog Saladins mit dem Tempelherrn (IV,4) bezeichnen. Sie stehen, psychologisch wie sprachlich eindringlich gestaltet, im Vordergrund des Dramas. Nathan – und in IV,4 Saladin – lassen ihre Partner im Dialog zu sich selbst, zu ihrem ‚guten Kern' finden. Voraussetzung für das Gelingen solcher Dialoge sind Offenheit für den Lernenden als Partner, der als „Mensch" ernst genommen wird, und Einfühlungsvermögen für seine Ausgangsposition. Häufige Anreden, Ausrufe, Fragen stellen den personalen Bezug zum Partner her, wecken seine Bereitschaft zuzuhören, sich in Frage stellen zu lassen, Verständigung zu suchen, fordern ihn zum Selbstdenken heraus. Lessing/Nathan scheint zu wissen, daß rationale Argumentation allein nicht genügt. In wechselseitiger Durchdringung anschaulich bildhafter und begrifflich gedanklicher Sprache wird neben dem Verstand auch das Gefühl des anderen angesprochen, sein Betroffensein herausgefordert (eindringliche Beispiele sind – in II,5 – Nathans wiederholte Ansätze, die anfängliche Abwehr des Tempelherrn zu durchbrechen, und – in III,7 – die Hinführung Saladins zum Erkennen, daß Nathans „Märchen" ihm das eigene Vorurteil offenbart). Provozierend werden dabei die erkenntnishemmenden Vorurteile des anderen in Frage gestellt (Rechas Engelsschwärmerei, des Tempelherrn Gehorsamsethik und Judenverachtung, Saladins selbstsichere Annahme, im Besitz des wahren Glaubens zu sein, des Tempelherrn Rückfall in religiöse Intoleranz) und argumentativ Denkanstöße zu ihrer Überwindung gegeben. Einsicht, enge menschliche Beziehung, Freundschaft, praktisches Handeln erwachsen aus diesen Dialogen.

Dialogische Monologe

Als Sonderform der Lehrdialoge könnte man die dialogischen Monologe Nathans (III,6) und des Tempelherrn (III,8; V,3) verstehen: Im Selbstgespräch stellt der Sprechende sich selbst oder seine Situation in Frage und sucht, wiederum in bildhafter und in gedanklicher Sprache, nach Denkantworten.

Scheiternder Dialog

Aber auch das Gegenbeispiel scheiternder Dialoge gibt uns das Drama. Wie intoleranter Starrsinn und Dogmatismus den Dialog der Vernunft abwürgen, zeigen die inhaltsleeren Floskeln, die Scheindialektik, die absurden Formulierungen des Patriarchen gegenüber den ‚menschlichen' Argumenten des Tempelherrn (IV,2). Und auch in Nathans Gesprächen mit Daja verhindert ihr dogmatisch festgelegter christlicher Glaubenseifer weiterführende Erkenntnis; so vermag sie in Nathans Argumenten gegen den schwärmerischen Wunderglauben nur „Subtilitäten", Spitzfindigkeiten, zu sehen (I,2), in Nathans großzügigem Reisegeschenk nur einen Bestechungsversuch (IV,6).

Der „Blankvers" des „Nathan"

Lessing schreibt (wie schon erwähnt) das „dramatische Gedicht" des „Nathan" im Blankvers, dem reimlosen fünffüßigen Jambus der Dramen Shakespeares:

> „Er íst es! Náthan! – Gótt sei éwig Dánk,
> Daß íhr doch éndlich éinmal wíederkómmt."

Der fünfmalige Wechsel von unbetonter zu betonter Silbe gibt diesem Vers einerseits ein festes Gerüst, bewirkt aber gleichzeitig vorantreibende Dynamik und ist außerordentlich modulationsfähig, indem er beliebige Zäsuren, Betonungsversetzung, Versschlüsse mit betonter (männlicher, stumpfer) oder unbetonter (weiblicher, klingender) Endsilbe und Sprecherwechsel innerhalb des Verses ermöglicht. Wieder nimmt Lessing damit Tradition auf und entwickelt sie zugleich weiter zu neuem Vorbild. Das hohe Drama – die Tragödie – war traditionell gebunden an gehobene Sprache und an die Versform: den jambischen Trimeter des antiken Dramas, der im Barock- und klassizistischen Drama durch den gereimten sechsfüßigen Jambus des Alexandriners ersetzt wurde. Wenn Lessing in „Miß Sarah Sampson" und „Emilia Galotti" gewagt hatte, Tragödien in (gehobener) Prosa statt in Versen zu schreiben, gibt er mit der Rückkehr zur Versform dem „Nathan" sein besonderes Gewicht, wählt aber gleichzeitig mit dem Blankvers einen Vers, der in seiner geschmeidigen, vorwärtsdrängenden Form der deutschen Sprache wie dem dramatischen Fluß angemessener erscheint. Der Vers dieses ersten großen deutschen Blankversdramas wird dann zum Modell für das deutsche klassische Drama Goethes und Schillers und ihrer Nachfolger.

Die Stilisierung der gehobenen Sprache behält Lessing wiederum äußerlich bei: Sultan wie Bürger wie die ‚niederen Stände' sprechen im gleichen Versmaß ohne naturalistische Differenzierung der Sprachebenen. In der Handhabung dieses Verses allerdings bricht er mit der Tradition, daß der Vers zugleich auch eine gedankliche wie syntaktische Einheit sein müsse. Mit bewußt gesetzten Einschüben, Wortwiederholungen, Satzbrüchen nähert er die Verssprache der natürlichen Dialogsprache an. Das trägt ihm zunächst den Vorwurf schlechter Verse ein. Doch „Mit Erlaubnis; ich dächte, sie (meine Verse) wären viel schlechter, wenn sie viel besser wären", schreibt er seinem Bruder Karl am 7.12.1778.

Werner Thomas („Opus supererogatum", 1959) spricht von der „hinreißenden Spontaneität des Lessingschen Dialogs". Versuchen wir dem am Beispiel des ersten Auftritts nachzugehen. Schon optisch springt uns auf den ersten Seiten die Auflockerung im Druckbild entgegen: Lessing vollzieht den Sprecherwechsel häufig mitten im Vers. Rede und Gegenrede greifen so ineinander über; **Hakenstil** man hat das den <u>Hakenstil</u> Lessings genannt. Sogar der doppelte Sprecherwechsel in einem Vers läßt sich beobachten und scheint solchen Versen ein besonderes Gewicht zu geben:

> „In welcher?" „Mein Gewissen ... " „Daja, laß"
> ... oder
> „Das wißt Ihr besser." „Nun so schweig!" „Ich
> schweige."

Enjambement Auch innerhalb einer Rede ist das <u>Enjambement</u> – das Übergreifen eines Satzes oder sogar eines Satzglieds von einem Vers auf den nächsten – häufig und dient nicht selten durch diese Absetzung auch der rhythmischen Hervorhebung bestimmter Aussagenteile, so z.B. wenn Daja den Anfang ihres Satzes „Mein Gewissen ... " nach Nathans Unterbrechung gewichtig mit der kleinen Staupause des Versübergangs wiederholt: „Méin/Gewíssen, sag ich ..." Die Kernworte „mein Gewissen" und „schweig" werden nicht nur auf diese Weise rhythmisch herausgehoben, sondern auch mehrfach wiederholt, was uns die schon er- **Schlüsselwort-** wähnte <u>Schlüsselwort-Technik</u> Lessings erkennen **Technik** läßt. Auch das „verbrannt" im Anfang der Szene und „Wahn" und „Wahrheit" am Schluß sind solche für die Aussage wichtige mehrfach wiederholte Schlüsselwörter, ebenso wie z.B. „Engel", „Wunder" und „Mensch" in I,2, „Geck" und „Mensch" in I,3 oder „Mensch", „Menschlich- **Wechsel und Auf-** keit", „menschlich" in II,1 usw. **lockerung der** Die Dialogführung selbst paßt sich äußerst ge- **Dialogführung** schmeidig dem Aussagegehalt der einzelnen Gesprächsphasen an. Passagen ruhiger längerer Rede steigern sich zu schnellen, gestrafften Wortwechseln; Fragen, Ausrufe, Wiederholungen bewirken lebendige Auflockerung. Im ersten Auftritt zum Beispiel begegnet Nathan zunächst Dajas erregten, sensationsgeladenen Ausrufen mit überlegener Diktion. Er nimmt ihr übersteigertes konventionelles „Gott sei ewig Dank" ruhig auf, jeder Silbe ihr ursprüngliches Sinngewicht zurückgebend: „Ja, Daja, Gótt sei Dánk!", knüpft drei rhetorische Fragen an und erklärt dann seine lange Abwesenheit in einem langen mehrgliedrigen Aussagesatz. Auch Dajas folgenden provozierenden Einwürfen (wiederholtes „elend, elend") begegnet er noch gelassen. Auf Dajas Stichworte „Recha" und „verbrannt" bricht aus ihm Erregung in einem Crescendo von sieben Versen heraus: vier Kurzfragen im ersten Vers, kurze stoßweise Ausrufe, Satzfetzen (Gedankenstriche!), viermalige Wiederholung des „verbrannt", die chiastische Anapher (umstellende Wiederholung) „nur heraus! Heraus nur!" bis zum Gipfel des übertreibenden, Angst und zugleich den Wunsch nach Nichtbestätigung ausdrückenden Behauptungssatzes „Ja, sie ist verbrannt". Dajas Erklärung führt zum entspannenden Seufzer Nathans: „O meine Recha!", wird aber schnell durch Dajas vorwurfsvolle Frage „Eure? Eure Recha?" in die neue Spannung des zweiten Gesprächsschritts übergeführt: den dialektisch das Herkunftsgeheimnis aufreißenden und verhüllenden Wortwechsel um „Gewissen" und „schweig".

Auch im dritten Gesprächsschritt wiederholt sich der Wechsel von Dajas erregt-lebendiger Schilderung des Zustands Rechas nach ihrem andeutenden „und ihm" zu erneuter leidenschaftlicher Diktion Nathans, die Daja die Nennung der Tat des Tempelherrn und dessen Begnadigung durch Saladin entreißt und nach zehn (!) kurzen Fragen im einsilbigen Ausruf „Gott!" gipfelt. Mit sechs weiteren, sich übersprudelnden Fragen erkundigt sich Nathan nach dem Tempelherrn, Daja schildert anschaulich lebendig und ausführlich in längeren Satzperioden dessen Tat und sein späteres schroffes, Intoleranz verratendes Verhalten ihr gegenüber. Nach diesem vierten Gesprächsschritt bedingt der letzte, der das Leitthema Wahn und Wahrheit aufzeigt, auch den Übergang von schildernden Erzählsätzen zu längeren, Gedanken entwickelnden Satzperioden, von anschaulicher Konkretheit des erzählenden Wortschatzes zu noch bildhafter, aber auch mit einer Zahl abstrakter Begriffe durchsetzter Denksprache.

Zur Entstehungs- und Textgeschichte

Lessings Quelle / Biographische Bezüge

Als der Hamburger Versuch eines deutschen Nationaltheaters 1769 gescheitert ist und finanzielle Schwierigkeiten es Lessing nicht länger ermöglichen, als freier Schriftsteller zu leben, nimmt er das Angebot des Herzogs von Braunschweig an, die berühmte umfangreiche herzogliche Bibliothek in Wolfenbüttel zu verwalten und durch die Herausgabe wissenschaftlicher Nachrichten aus den Beständen dieser Bibliothek ihren (und ihres Landesherrn) Ruhm zu mehren. Lessing nützt diesen Auftrag, um ein Forum für die Diskussion herausfordernder Fragen des geistigen Lebens zu schaffen. So veröffentlicht er unter anderem (vgl. S. 53f) auch Auszüge aus der extrem rationalistisch-deistischen Schrift des Reimarus als „Fragmente eines Ungenannten" und angebliche Funde aus der Bibliothek. Der sich daraus entwickelnde polemische ‚Fragmentenstreit' veranlaßt Vertreter der dogmatisch orthodoxen lutherischen Kirchenlehre und besonders ihren Wortführer, den Hamburger Hauptpastor Goeze, der absolutistischen weltlichen Obrigkeit die Gefährdung der staatlichen Ordnung durch Lessing zu suggerieren (vgl. dazu die Materialien im Anhang der „Nathan"-Ausgabe des Klett-Verlags).

Bibliothekar in Wolfenbüttel

Fragmentenstreit

Im Juli 1778 verbietet Lessings Dienstherr, Herzog Carl von Braunschweig, ihm weitere Veröffentlichungen zu dieser Thematik und unterwirft fortan alle Druckschriften scharfer staatlicher Zensur. Lessing sucht einen Ausweg. „Ich muß versuchen, ob man mich auf meiner alten Kanzel, auf dem Theater wenigstens, noch ungestört will predigen lassen", schreibt er am 6. September 1778 an Elise Reimarus. Schon wenige Wochen nach dem Zensurerlaß (am 10.8.1778) hat er sei-

Zensurerlaß

„Nathan der Weise" als Ausweg

nem Bruder Karl den Plan für ein Drama mitgeteilt: „Ich habe vor vielen Jahren einmal ein
Schauspiel entworfen, dessen Inhalt eine Art von
Analogie mit meinen gegenwärtigen Streitigkei-
ten hat, die ich mir damals wohl nicht träumen
ließ. (...) Ich glaube (...), daß (...) ich gewiß den
Theologen einen ärgeren Possen damit spielen
will, als noch mit zehn Fragmenten." Die Anre-
gung dazu habe er im „Decamerone", der Novel-
lensammlung des italienischen Dichters Boccaccio
(1313–1375) gefunden. Innerhalb eines halben
Jahres, bis zum März 1779, schreibt er das ‚dramatische Gedicht' „Nathan der Weise".

In Boccaccios Novelle (sie ist ebenfalls in den
Materialien der „Nathan"-Ausgabe des Klett-
Verlags abgedruckt) stellt der moslemische Sultan
Saladin dem reichen Juden Melchisedech die listige Frage nach der wahren Religion, die dieser
mit der Parabel von den drei Ringen beantwortet.
Damit sind sowohl das Religionsthema, zwei
Hauptfiguren und ein Handlungskern wie auch
der orientalische Schauplatz und die Zeit des historischen Saladin vorgegeben. Lessing kann so
die aktuelle Auseinandersetzung von 1778 nicht
nur in eine dramatische Handlung umsetzen, sondern sie auch durch Züge einer anderen Zeit und
Umwelt verfremden und auf diese Weise das Veröffentlichungsverbot für theologische Streitschriften und die Zensur mit ihrer obrigkeitlichen
Verflechtung von Kirche und Staat umgehen. Saladins Zeit war zudem die Zeit der christlichen
Kreuzzüge. Lessing kann somit auch Christen in
die Boccaccio-Handlung zwischen dem Moslem
und dem Juden einflechten, und indem in Palästina, in Jerusalem, Angehörige der drei großen Religionen aufeinandertrafen, kann er seine Auseinandersetzung mit dem christlich-protestantischen
Dogmatismus innerhalb der lutherischen Kirche
jetzt erweitern zur Auseinandersetzung mit religi-
ösem Dogmatismus überhaupt. Er gebe zu bedenken, schreibt er im Entwurf einer Vorrede zum
„Nathan", „daß der Nachteil, welchen geoffen-
barte Religionen dem menschlichen Geschlechte
bringen, zu keiner Zeit einem vernünftigen Man-

ne müsse auffallender gewesen sein, als zu den Zeiten der Kreuzzüge ...“.

Auch hier übernimmt Lessing also Überlieferung und transzendiert sie zugleich, indem er sowohl der Absicht der Vorlage Boccaccios wie auch der Handlung wie auch den Figuren andere Perspektiven gibt. Boccaccios Novelle will ein Beispiel weltklugen Verhaltens geben, will zeigen, „daß Torheit uns oft vom höchsten Glück ins größte Elend stürzt, Verstand hingegen den Klugen aus den größten Gefahren reißt ... “. Lessing geht es nicht um Klugheit, sondern um „Weisheit“: um Aufklärung, Vernunftgewinn, bessere Einsicht, Änderung des Verhaltens. Bei Boccaccio fragt der Sultan den Juden allgemein, welche der drei Religionen er für die wahre halte, die jüdische, die sarazenische oder die christliche. Bei Lessing spielt Saladin dazuhin herausfordernd auf die Freiheit vernunftbegründeter Entscheidung an: aus welchen Gründen Nathan bei seiner Religion bleibe, in die ihn doch nur „der Zufall der Geburt ... hingeworfen“ habe. Auch innerhalb der Ringerzählung verändert Lessing die Vorlage (vgl. dazu die Inhaltsangabe zu III,7 im Kapitel „Handlungsverlauf“, S. 23ff). So lebt (im ersten Erzählschritt Nathans) der Mann „in Osten“ (im Orient); der Ring hat einen Stein, einen Opal, der je nach Einwirkung des Lichts in vielen unterschiedlichen Farben erscheinen kann (also nicht auf eine einzige Erscheinungsweise festlegbar ist); er hat die geheime Kraft, vor Gott und den Menschen angenehm zu machen; und vor allem: die geheime Kraft liegt nicht allein im Ring selbst als magischem Gegenstand, sondern der Glaube des Trägers an diese Kraft macht sie erst wirksam. Im zweiten Erzählschritt weiß bei Boccaccio der Vater den rechten Ring „kaum“ zu erkennen, bei Lessing kann selbst er die Ringe gar nicht mehr unterscheiden. Im dritten Erzählschritt hat Lessing den Wechsel von der Bildebene zur Übertragungsebene der Parabel von Boccaccio übernommen, doch Boccaccio endet hier, die Frage nach der wahren Religion bleibt bei ihm unentschieden wie die Frage nach dem echten Ring. Lessing fügt

Unterschiedliche
Absichten

Verschiebung der
Fragestellung

Die Eigenschaften
des Rings

117

dagegen den wichtigen Gesichtspunkt hinzu, daß die Unterschiede der Religionen allein aus ihren jeweiligen historischen Bedingtheiten erwachsen sind, und führt mit einem vierten und fünften Erzählschritt weiter zur Gerichtsverhandlung und zum Rat des Richters.

Der Leser oder Zuschauer kann daraus erkennen, daß es Lessing offenbar darum geht, die äußerlichen Unterschiede der großen Religionen zu relativieren und den Hauptakzent auf die Kraft des Glaubens und die daraus erwachsende Bewährung im Verhalten der Menschen zu legen. Vor allem aber läßt es Lessing nicht bei der bloßen Ringerzählung bewenden. Er bettet sie ein in den Prozeß der Selbsterkenntnis Saladins und im weiteren Rahmen in das Erziehungsgeschehen an den Hauptfiguren des ganzen Dramas.

Damit gibt Lessing auch den beiden von Boccaccio vorgegebene Figuren des islamischen Sultans Saladin und des Juden Melchisedech eine vertiefende Deutung. Seit dem Mittelalter war das Bild des historischen Saladin (1138–1193) positiv gezeichnet. Schon Boccaccio rühmt an dem Sultan, den er doch dem Juden die listige Frage nach der wahren Religion stellen läßt, sowohl „seine vorzügliche Tapferkeit", durch die er sich „von einem geringen Manne bis zum Sultan von Babylon emporgeschwungen hatte", wie auch das nachträgliche Eingeständnis seiner erpresserischen Absicht und die spätere volle Zurückzahlung der ihm von Melchisedech vorgestreckten Summe mit zusätzlichen „ansehnlichen Geschenken". Auch im 18. Jahrhundert war das idealisierte Bild Saladins bereitwillig übernommen worden als Vorbild eines im Sinn der Aufklärung tugendhaften Fürsten.

Nach Lessings negativen Erfahrungen mit seinem eigenen Landesherrn, dem Herzog von Braunschweig (auch mit dessen verschwenderischer Hofhaltung, die die Staatskasse hoch verschuldete), verwundert es nicht, wenn auch er in seinem Saladin ein positives Gegenbild entwirft. Wieder übernimmt und transzendiert er die in den Quellen herausgehobenen Züge Saladins. Dem Kriegsruhm Saladins setzt er – als ‚guten Kern' – seine Friedensliebe gegenüber (Saladins Versöhnungspläne, II,1; des Tempelherrn Charakterisierung Saladins: „Der Held, der lieber Gottes Gärtner wäre, IV,4). Vor allem aber verwandelt Lessing das statische Bild, das die Quellen von Saladins Charakter zeichnen, in einen dynamischen Lern- und Entwicklungsprozeß. Saladin findet aus seinen inneren Widersprüchen zu vertiefter Selbsterkenntnis. So enthält auch der ‚Fürstenspiegel', den Lessing mit der Gestalt Saladins den absolutistischen Herrschern seiner Zeit vorhält, nicht nur das fertige Bild des sich persönlich bescheidenden, toleranten, gerechten, großzügig freigebigen, durch eigenes Vorbild wirkenden Landesherren, sondern auch den Weg dorthin: die Überwindung zunächst unbewußter Vorurteile und Widersprüche durch vernunftgeleitetes Erkennen und Verhalten. Auch wenn das Dilemma des ‚guten Menschen', das Lessing durch Al Hafi aufzeigen läßt, im absolutistischen System noch unaufgelöst bleibt.

Lessing zeigt einen lernenden Saladin

Sein ‚Fürstenspiegel'

Boccaccios Figur des Juden Melchisedech verwandelt Lessing in seinen Nathan. Melchisedech ist reich und klug, aber sehr geizig und verleiht Geld auf Zinsen – er spiegelt so auch Züge des negativen Bildes vom Juden, das sich die selbstgefällige Christenheit durch Jahrhunderte weitergab. Lessing entwirft mit seinem Nathan ein positives Gegenbild (vgl. das Kapitel „Emanzipation und Gesellschaftsutopie"). Sein Nathan ist auch reich, aber nicht nur klug, sondern „weise"; er verleiht kein Geld, damit er genug an Bedürftige zu geben habe (II,2); er verkörpert aufgeklärte „Menschlichkeit". Wie sehr Lessing damit gegen die Vorurteile seiner Zeitgenossen angehen mußte, zeigt einer der beiden (unveröffentlicht gebliebenen) Entwürfe einer Vorrede (als „Bruchstück einer Abhandlung" u.a. im Materialienteil der Nathan-Ausgabe des Klett-Verlags abgedruckt), in dem er sich gegen den erwarteten Vorwurf verteidigt, „dergleichen Leute [wie den Moslem Saladin und den Juden Nathan] in einem weniger abscheulichen Licht vorzustellen, als in welchem

Negative Züge im Bild des Juden bei Boccaccio

Lessings Nathan verkörpert aufgeklärte Menschlichkeit

der christliche Pöbel sie gemeiniglich erblickt",
und bezeichnenderweise mit den Sätzen schließt:
„Noch kenne ich keinen Ort in Deutschland, wo
dieses Stück schon jetzt aufgeführt werden könnte. Aber Heil und Glück dem, wo es zuerst aufgeführt wird."

Biographische Bezüge Lessings in der Figur Nathans

Auf verschiedene Weise kann der Leser oder Zuschauer biographische Bezüge Lessings in seiner
Gestaltung der Figur Nathans entdecken. Da ist
zum einen der jahrzehntelange Kampf des Auf-
klärers Lessing gegen die Vorurteile und die Unterdrückung der jüdischen Minderheit. Da ist
zum anderen der starke Eindruck der Persönlich-
keit seines Freundes, des jüdischen Philosophen
Moses Mendelssohn. Zum dritten wird die Figur
Nathans zu Lessings Maske in der Fortsetzung
der theologischen Auseinandersetzung nach dem
Zensurerlaß, räumt Lessing doch selbst ein: „Nathans Gesinnung gegen <u>alle</u> positive [d.h. dogmatisch festgelegte] Religion ist von jeher <u>die meini-
ge</u> gewesen" (Entwurf einer Vorrede zum „Nathan").

Schließlich mag der Leser oder Zuschauer daran
denken, daß auch in Nathans Schlüsselerlebnis –
den Verlust seiner Familie, aus dem seine Selbsterziehung, seine tiefe Religiosität, seine Weisheit
erwachsen – persönliches Erleben Lessings einge-
flossen sein dürfte. Nach dem Tod eines Freundes, des Hamburger Kaufmanns König, hatte er
die Sorge für die Witwe und deren vier Kinder
mit übernommen. Sieben Jahre mußte er warten,
bis er endlich 1776 finanziell so gestellt war, daß
er sie heiraten konnte. Aber um die Jahreswende
1777/78, acht Monate vor dem Beginn der Arbeit
am „Nathan", verliert er bei der Geburt seines
einzigen Sohnes Frau und Kind und bleibt erschüttert mit zwei Stiefkindern zurück.

Die von Lessing erfundenen Figuren der Christen

Hat Lessing so die beiden Figuren des Moslems
und des Juden der Novelle Boccaccios entnom-
men und verändert, so sind die Figuren der Christen im Drama sämtlich von Lessing hinzu erfun-
den: war doch die Auseinandersetzung mit christlichem Dogmatismus, christlicher Intoleranz,

christlichen Vorurteilen sein eigentlicher Aus-
gangspunkt.
Darüber hinaus hat Lessing der militanten Orthodoxie in der Gestalt des Patriarchen ein polemisches Denkmal gesetzt. Es gab einen historischen
christlichen Bischof von Jerusalem, dem der Eh-
rentitel Patriarch zukam, doch sind die Züge, die
Lessing ihm im Drama gibt, von seiner dramatischen Funktion her, von Lessings persönlicher
Erfahrung im Fragmentenstreit bestimmt: als negative Verkörperung dogmatisch erstarrter, see-
lenloser kirchlicher Hierarchie und des intriganten kirchlichen Machtkampfes. Nachdem Lessing
solche Machtausübung von Kirchenvertretern bis
zum Erwirken des herzoglichen Kabinettsbefehls
gegen ihn selbst erfahren hatte, verwundert es
nicht, wenn Interpreten in der Figur des Patriarchen auch eine – abschreckend satirisch über-
zeichnete – Karikatur des Hamburger Hauptpa-
stors Goeze sehen: der Anspruch, im Besitz der
religiösen Wahrheit zu sein, militante Absage an
die Vernunft, an die Mündigkeit des denkenden
Menschen, radikale Abwehr der ‚menschlichen‘
Argumente des Tempelherrn und der Versuch,
sich der staatlichen Macht Saladins zur Bewah-
rung der kirchlichen Machtinteressen zu bedienen.

Wirkungsgeschichte / Interpretations-
ansätze

Urteile zur Kunstform des ‚Nathan‘

Die Uraufführung in Berlin am 14. März 1783
(und vereinzelte Aufführungen in der Folgezeit)
bleiben ohne größere Nachwirkungen: „Der erste
Tag war dem Stücke günstig. Es herrschte eine
feierliche Stille, man beklatschte jede rührende
Situation, man munkelte allerseits von den Gött-
lichkeiten, welche dieses Lehrgedicht belebten,
man glaubte, unser Publikum würde das Haus
stürmen, aber dies Publikum blieb bei der dritten

Vorstellung Nathans beinahe ganz und gar zu Hause [...] Freilich hat das Stück wenig theatralisches ... " (Litteratur- und Theater-Zeitung, Berlin, 3. Mai 1783. Zit. n. Göbel 250). <u>Schiller</u> tadelt

Kritik an der dramatischen Form

die dramatische Form des ‚Nathan' aus der Sicht seiner – Schillers – Dramentheorie. Lessing habe hier „die tragische Form zu einem anderen als tragischem Zweck" angewendet, einem Zuwenig an Pathos (Leidenschaft) stehe zu viel „ruhiges Raisonnement" (Denken) gegenüber, so habe „die frostige Natur des Stoffes das ganze Kunstwerk erkältet" (Schiller, Über naive und sentimentalische Dichtung. 1795). Auch <u>Friedrich Schlegel</u>, der Theoretiker der Romantik, lobt zwar die „philosophische Würde" des Stückes, spricht der dramatischen Form aber „liberale Nachlässigkeit" und „theatralische Effektlosigkeit" zu (Friedrich Schlegel, Über Lessing. 1797–1801. Zit. n. Steinmetz 184f).

Erst von <u>Schillers Inszenierung</u> des ‚Nathan' in Weimar (1801) und Goethes positiver Kritik geht

Schiller verändert die Bühnenfassung

größere theatralische Wirkung aus. Doch Schiller verändert die Bühnenfassung beträchtlich (vgl. dazu die Übersicht im Anhang der Nathan-Ausgabe des Klett-Verlags, S. 172–178). Schiller glättet die unruhigen Verse, die Lessing dem ‚natürlichen' Dialog angepaßt hatte. Er streicht gedankliche Passagen und entschärft die anstößigen kritischen Tendenzen Lessings, so u.a. Nathans Auseinandersetzung mit dem Wunderglauben (I,2), Sittahs Kritik am Verhalten der Christen (III,1), Rechas Klage über Dajas fanatischen Religionseifer (V,4). Klassische Idealisierung und politisch wie religiös konservative Tendenzen prägen so die Umarbeitung, die von anderen Bühnen übernommen und sogar noch weitergeführt wird.

Die Diskussion um die dramatische Form des ‚Nathan' hält im 19. und 20. Jahrhundert an. Eine

Dramatische Aktion steigern

Steigerung des äußeren dramatischen Konflikts zu furchtbarer Gefahr und Rettung Nathans durch den Tempelherrn wünscht sich z.B. der Professor der Ästhetik <u>Friedrich Theodor Vischer</u>

Heiteres Licht der Vernunft

(Ästhetik oder Wissenschaft vom Schönen. 1857. Zit. n. Düffel 137); „das heitere Licht der Vernunft" in der Fassung Lessings verteidigt dagegen der Theologe David Friedrich Strauß (Vortrag: Lessings Nathan der Weise. 1861. Zit. n. Steinmetz 365). Hugo von Hofmannsthal plädiert dafür, das ‚dramatische Gedicht' als Lustspiel zu spielen, „ganz als das geistreichste Lustspiel, das wir haben, ganz auf die unvergleichliche Gespanntheit dieses Dialogs hin, dieses Einander-aufs-Wort-Lauern, Einander-die-Replik-Zuspielen, auf dies Fechten mit dem Verstand (und mit dem als Verstand maskierten Gemüt), wovon das ganze Stück bis in die Figuren der Mamelucken hinab erfüllt ist, fast wie das Stück eines der großen Spanier" (Hugo von Hofmannsthal, Gotthold Ephraim Lessing. Zum 22. Januar 1929. Zit. n. Steinmetz 453).

Das geistreichste Lustspiel, das wir haben

Eine differenzierende Analyse der Kunstform des ‚Nathan' gibt Peter Demetz 1966. Demetz sieht im ‚Nathan' die Form der „ernsten Komödie" verwirklicht, die der französische Dramatiker Diderot (den Lessing ins Deutsche übersetzte) gefordert hatte: die ernste Komödie, welche die Tugenden und Pflichten des Menschen, im höchsten Sinne, zum Gegenstand hat und deren Charaktere breit, gemischt und lebensnah in die pragmatischen Beziehungen des (bürgerlichen) Alltags verflochten sind. „Als Theaterstück ist ‚Nathan der Weise' [...] in jener reichen Tradition des rührenden Familienstückes gegründet [...] Es entfaltet (einschließlich der leider überkomplizierten Vergangenheit, die fortschreitend erhellt wird) die ernste Geschichte einer Familie, die endlich nach Verwirrungen und Hemmnissen zusammenfindet; Lessings genialer Kunstgriff wird dort offenbar, wo er die Familiengeschichte ins Metaphysische projiziert und in den familiären Umarmungen des Schlußbildes auf die Utopie einer Menschheitsfamilie, ohne Zwist und Hader, vorausweist."

„Ernste Komödie"

Familiengeschichte ins Metaphysische projiziert

Dabei sind – so Demetz – die Brüche und Widersprüche im ‚Nathan' nicht leicht fortzuleugnen. Da ist einerseits „das heilige Etwas der innigen, tätigen Religiosität, die ungebrochen aus dem Stück strahlt; das Beispielhafte der herrscherlichen Toleranz; das bedenkenswerte Schwanken

Brüche und Widersprüche

des Tempelherren zwischen Torheit und Einsicht; der reizvolle Charakter Rechas; die beiden souveränen Komödienfiguren der Einsiedler, die sich der Welt verbinden; der artistische Genius, mit dem Lessing die vielfältigen Figuren die zentrale Frage spiegeln und mittelbar beantworten läßt; die hochorganisierte und seltene Kunst der intellektuellen, der ernsten Komödie ... " Dagegen bleiben aber Daja und Sittah farblos, der Eingang zum fünften Akt (V,1–2) schwach, die „pressende Didaktik" fragwürdig integriert, „und da ist das höchst problematische Schluß-Tableau, das nach der Entfaltung so vieler Energie als lebendes Bild des Lebens eigentlich entbehrt und gerade im krönenden Höhepunkt zum allegorischen Arrangement erstarrt; Statueskes, das mit dem Geist der funkelnd bewegten Dialektik, die das Stück durchwaltet, in Widerspruch gerät."

Das problematische Schluß-Tableau

Das vor allem Neue in der Form des ‚Nathan‘ sieht Demetz in Lessings sprachlichem Experiment: in Vers und Vokabular. „Die Kühnheit Lessings ist eher in der souveränen Freiheit zu entdecken, mit welcher er den fünffüßigen Jambus handhabe; es gibt keinen metrischen Verstoß, den er sich nicht zuschulden kommen ließe [...] Lessings Vers-Störungen sind Elemente eines bewußten Kalküls [...] Die akustische Interpunktion, die mit Strichen und Punkten (– / ...) geradezu pedantisch auf der genauen Bezeichnung von Gedankengrenzen, Halt und Verzögerungen besteht, fordert die Lockerung des Verses, der sich der Alltagssprache anzunähern beginnt [...] Im ‚Nathan‘ dominiert, im Konflikt mit der späteren Klassik, ein zerrüttetes Metrum."

Experiment in Vers und Vokabular

Vers-Störungen als bewußtes Kalkül

Auch Lessings Verwendung der Sprachmaterialien ist – so Demetz – Teil dieses Experiments. „Im Schutze des Verses drängt Lessing auf eine ‚realistische‘ Bühnensprache hin": volkstümliche Prägungen, Fremdwörter, fachliches (z.B. aus der Kaufmannssprache) und profanes Vokabular ... Lessing könne es mit der sprachlichen Realistik der Stürmer und Dränger, „wenn auch im Kleide des Verses, durchaus aufnehmen".

Tendenz zu ‚realistischer‘ Bühnensprache

Die Problematik des Dramenschlusses im ‚Nathan'
greift u.a. Jürgen Schröder auf. Anders als Demetz sieht er in der „betonte(n) Stummheit und
Sprachlosigkeit" „ein Zeichen, das als mahnende
Frage und Aufruf zu neuem Beginn schon einen
Schritt zum Publikum heraustritt. Seine Zukunft
und sein Vollzug liegen beim Hörer." Und für Josef Schnell will das Drama die „natürliche Form
des Zusammenlebens" freilegen, Wege zur Beseitigung von Störungen im Zusammenleben aufzeigen. Demnach zeige die zeichenhafte Schlußszene
nicht einen utopischen Endzustand seliger Ein-
tracht, „nicht Antizipation des Friedens", sondern vielmehr „die ursprüngliche Einheit, deren
Entsprechung im Verlauf der Handlung und in
der Geschichte die Freundschaft ist. [...] Die Beseitigung der Störungen geschieht ja nicht eigentlich durch das Erkennen der Verwandtschaft,
sondern durch die Beseitigung der Ursachen von
Konflikten."

Urteile zur Religionsidee des ‚Nathan'

Noch widersprüchlicher als die Urteile zur
Kunstform des ‚Nathan' ist die Aufnahme der im
‚Nathan' entwickelten Religionsidee. Die Polemik
des Fragmentenstreits setzt sich fort. Gegen die
„Herabsetzung der christlichen Kirche zugunsten
des darin verherrlichten Judentums" entwirft der
Meininger Hofprediger Johann Georg Pfranger
schon 1782 ein Gegendrama als Fortsetzung des
‚Nathan' (vgl. Barner/Grimm 390). Moses Mendelssohn berichtet: „Nunmehr drang die Kabale
aus den Studierstuben und Buchläden in die Pri-
vathäuser seiner Freunde und Bekannten mit ein,
flüsterte jedem ins Ohr, Lessing habe das Christentum beschimpft, ob er gleich nur einigen
Christen und höchstens der Christenheit einige
Vorwürfe zu machen gewagt hatte. Im Grunde
gereicht sein ‚Nathan', wie wir uns gestehen müssen, der Christenheit zur wahren Ehre." Friedrich
Schlegel sieht im ‚Nathan' eine Religionsart „voll

Adel, Einfalt und Freiheit [...] als Ideal ganz entschieden und positiv aufgestellt ... "

Um die Mitte des 19. Jahrhunderts streitet man öffentlich darüber, ob ,Nathan' Schullektüre sein soll. Die Schüler würden vom Glauben an Christus und seine Erlösung losgerissen, „offenbare Feindschaft gegen das Christentum" habe das Werk diktiert, es lehre „eine Toleranz der Sünde" (Friedrich Joachim Günther, 1841. Zit. n. Barner/ Grimm 391). Die Befürworter setzen sich durch: ,Nathan' wird in den festen Lektürekanon der deutschen höheren Schulen aufgenommen (und bleibt darin, wird von den Nationalsozialisten zwischen 1933 und 1945 ausgeschieden, nach 1945 wieder aufgenommen, ist aber nach der Oberstufenreform 1970 nicht mehr in allen Bundesländern Pflichtlektüre).

Im ausgehenden 19. Jahrhundert sieht man den ,Nathan' vorwiegend als Drama der religiösen Befreiung. In der Entwicklung einzelner Menschen zu religiöser Freiheit, vor allem aber in ihrer Verbindung untereinander zu einer Gemeinschaft der „freien Geister" erblickt der Philosoph Wilhelm Dilthey den Schwerpunkt des Werkes (1867). Dagegen betonen nach dem Ersten Weltkrieg Philosophen und Theologen den Aspekt einer im ,Nathan' entwickelten zukunftsorientierten, „kommenden Menschheitsreligion". Verherrlicht werde nicht mehr (wie noch in Klopstocks „Messias", 1748–1773) die Erlösungstat des menschgewordenen und sterbenden Gottessohnes, sondern ein „Menschentum", das „Ergebenheit in Gott" und „Liebe" zum Mittelpunkt hat (Gottfried Fittbogen, 1923). Lessing stelle dem statischen (feststehenden) Wahrheitsbegriff der Orthodoxie eine werdende, sich aus Zweifel und Irrtum erzeugende Wahrheit gegenüber. Daraus entspringe eine Gesinnung der Bescheidenheit (des Richters im ,Nathan') und eine Toleranz der Ehrfurcht und Demut (Ernst Cassirer, 1929). „Gerade die objektive Ungewißheit über den echten Ring" provoziere – im Sinne einer ,Theologie der Existenz' – das subjektive Sich-Vergewissern im „Mittun" (Helmut Thielicke, 1957).

Schüler vom Glauben losgerissen

Fester Bestandteil im Lektürekanon

Drama der religiösen Befreiung

Kommende Menschheitsreligion

Eine sich aus Zweifel und Irrtum erzeugende Wahrheit

Urteile zum emanzipatorischen Gesellschaftsentwurf des ‚Nathan'

Zwiespältig blieb auch die Aufnahme der gesellschaftlich-emanzipatorischen Aspekte des ‚Nathan'. Die drei Gesichtspunkte der individuellen, der gesellschaftlichen und der politischen Emanzipation spiegeln sich in der Rezeptionsgeschichte des Werkes. Doch diese Geschichte zeigt auch drei Tendenzen, die Lessings Bestrebungen praktisch in ihr Gegenteil verkehren: liberalistische Verharmlosung, nationalistische Vereinnahmung und rassistische Diffamierung.

Nachdem der ‚Nathan' in der Phase der politischen und kirchlichen Restauration nach dem Wiener Kongreß (1814/15) „aus höheren Rücksichten" vom Theater verschwunden war (Steinmetz 256), entdeckt vor allem die Bewegung des Vormärz und des Jungen Deutschland die politische und soziale Bedeutung des Werkes. Man beginnt, den ‚Nathan' auch als Drama des sich emanzipierenden Bürgertums zu verstehen. Für das etablierte Bürgertum dagegen wird ‚Nathan der Weise' dann als Fest- und Weihespiel auf der Bühne zum bloßen Besitz- und Vorzeigestück; seine eigentliche Herausforderung wird mit dem Mantel der Erbaulichkeit überhangen.

Neben der liberalistischen selbstgefälligen Verharmlosung verkehrt vor allem die nationalistische ‚Nathan'-Rezeption Lessings Absicht in ihr Gegenteil, trennende Grenzen zwischen den Religionen, den Völkern, den Ständen in gemeinsamer „Menschlichkeit" zu überbrücken. Nationalstolz und wachsende nationale Überheblichkeit beginnen, diese Botschaft des ‚Nathan' zu überlagern. Nach 1870, im Kaiserreich, will man mehr und mehr in Lessings ‚kämpferischem' ‚deutschen' Wesen, in seinem Eintreten gegen französische Vorbilder, in seinen Verdiensten um die Schaffung einer deutschen Nationalliteratur, eines deutschen Nationaltheaters einen Vorstreiter des deutschen Nationalstaates sehen. Bis in den Ersten Weltkrieg hinein steigern sich die nationali-

Das „Junge Deutschland" entdeckt die politische und soziale Bedeutung

Liberalistisches Vorzeigestück im Kaiserreich

Nationalistische ‚Nathan'-Rezeption

stischen Phrasen: „In der Tat: mit Lessings Lehrgedicht von der Menschenbrüderschaft aller Guten auf dem Boden der Wahrheit und der Freiheit
fiel an Deutschland die Führerschaft unter den
Völkern zum höchsten Menschentum" (Theodor
Kappstein, Der kriegerische Lessing. Ein Vortrag.
1915. Zit. n. Steinmetz 442).

**Deutsche „Führer-
schaft unter den
Völkern"**

Der positiv gezeichnete Jude als Titelfigur eines
Dramas ist ein Ärgernis nicht nur für Lessings
Zeitgenossen. Selbst Immanuel Kant, der Philosoph der Aufklärung, habe nach dem Lesen der
ersten zehn Druckbogen des ‚Nathan' geäußert, er
könne keinen Helden aus diesem Volk leiden, berichtet J. G. Hamann (an Herder am 6.5.1779. Zit.
n. Göbel 248). Sächsische Zensurmaßnahmen kommentiert Johann Wilhelm Ludwig Gleim (in einem Brief an Lessing am 22.7.1779, zit. n. Göbel
248): „Urtheile der Bosheit und der Dummheit
hört' ich die Menge; zum Besten der Menschen einen Juden, zum Schlimmsten einen Christen zu
machen, welch ein Verbrechen! Auch haben die
Christen zu Dresden, deshalb, sagt man, ihn, den
Besten der Menschen, schon des Landes verwiesen."

**Das Ärgernis des
positiv gezeich-
neten Juden**

Mit dem zunehmenden Nationalismus steigern
sich gegen Ende des 19. Jahrhunderts Rassismus
und Antisemitismus. Der materialistische Philosoph und Nationalökonom Eugen Dühring pole-
misiert gegen Lessing und findet Anhänger. Der
‚Nathan' ist für ihn ein „plattes Judenstück",
„ganz abgesehen von der judenverherrlichenden
Tendenz, lau und flau", „auf einem sehr niedrigen Geistesniveau" (zit. n. Steinmetz 390–396).

**Ein plattes
Judenstück**

Nach der neuen Begegnung mit den „Inhalten",
den Gedanken Lessings, während der Weimarer
Republik – besonders im Jubiläumsjahr 1929 –
setzt sich unter der Herrschaft der Nationalsozialisten der antisemitische Rassismus wieder durch.
Der ‚Nathan' verschwindet aus dem Theaterre-
pertoire und aus dem Schulunterricht.

**1933–45: ‚Nathan'
verschwindet von
der Bühne**

Die Wirkungsgeschichte des ‚Nathan' nach 1945
skizziert Wolfgang Kröger: „Nach 1945 wurde der
‚Nathan' gleichsam zum ‚Wiedergutmachungs-
stück'. Besonders die Nathan-Darstellung durch

**Wiedergut-
machungsstück**

Ernst Deutsch sollte den Neuanfang gegenüber der NS-Zeit markieren. Die Frage mag erlaubt sein, ob hier nicht häufig der Antisemitismus einfach zum Philosemitismus umgefärbt wurde, so daß eine Unbefangenheit zwischen Deutschen und Juden wieder nicht entstehen konnte. (...) Inzwischen ist der ‚Nathan' zum anerkannten und wenig umstrittenen Theaterklassiker geworden: in Stuttgart z.B. wurde er in -zig Aufführungen über mehrere Jahre hinweg und immer wieder vor ausverkauftem Haus gespielt" (Wolfgang Kröger, Nathan der Weise – ein toter Klassiker? 1980. S. 90).

Theaterklassiker

Nach 1960 rücken soziologische Analysen des ‚Nathan' in den Vordergrund: Nathan der Bürger, Nathan der Kaufmann und Nathan der Jude.

Soziologische Analysen

„In den Schattenbildern des aufsteigenden Bürgertums erschaute Lessing gleichsam die <u>platonische Idee des Bürgers</u> [...], den aufgeklärten Mythos vom idealen Bürger ...", schreibt <u>Paul Hernadi</u> (1971. Zit. n. Bohnen 341–349). Die Ringparabel lehre: „nicht die bevorzugte Abstammung zählt, sondern die eigene Leistung im <u>freien</u> Wettbewerb unter prinzipiell <u>gleichen Brüdern</u>. Freiheit, Gleichheit, Brüderlichkeit: diesen bürgerlichen, ja fast revolutionären Ausgang der Geschichte bereitet Lessing bereits im ersten Teil der Ringparabel vor" – zehn Jahre vor der französischen Revolution. Dazuhin zeugt Nathans Lebensweise – so Hernadi – von bürgerlich-protestantischer Ethik. „Die Analogie zum neuzeitlichen Puritaner, der den Gelderwerb durch Berufsarbeit als gottgewollten Lebenszweck betrachtet, jedoch an seiner maßvollen Lebensführung trotz angesammelter Reichtümer festhält, liegt nahe." In Nathan vereinen sich die abgründigen Erfahrungen des blutigen Progroms und die Alltagskompromisse des bürgerlichen Kaufmanns: „Der soziale Tiefsinn der Nathan-Dichtung liegt gerade darin, daß Lessing die weise Menschlichkeit und die vita activa eines berufstätigen Bürgers in wechselseitigem Kausalzusammenhang gestaltet." Dabei soll „Nathans bescheidener Charakter [...] uns ja nicht darüber hinwegtäuschen, daß die Handlung des nach ihm benannten dramatischen Gedichts durch seine, des Bürgers, Mittlerrolle zur Verbrüderung verschiedener Stände und Religionen führt."

Nathan der Bürger

Freiheit, Gleichheit, Brüderlichkeit

Bürgerlich-protestantische Ethik

Weise Menschlichkeit und vita activa

Um den Kaufmann Nathan und sein Judentum geht es Peter Demetz im Kapitel „Nathan: Kommerz und Religiosität":

„ … Jede Auffassung, die Nathans widersprüchlichen Theatercharakter allein von einer einzigen Idee her prägen will, wird sogleich in die Irre gehen. ‚Der Allegorie [sinnbildliche Deutung Nathans als Verkünder religiöser Toleranz] wirkt Lessings Bedacht entgegen, Nathan (den Wünschen Diderots [s. S. 123] folgend) in seinen kommerziell-wirtschaftlichen Verhältnissen darzustellen. ‚Nathan der Weise sollte', wie Paul Hernadi unlängst treffend bemerkte, ‚den Blick auf Nathan, den Bürger, nicht verdecken.' Nathan wird zunächst als reisender Kaufmann vorgestellt. Er hat eben eine Geschäftsreise nach Damaskus und Babylon hinter sich, zwanzig hochbeladene Kamele schleppen edle Steine, Spezereien, Stoffe, Spangen, Ketten, Ohrgehänge. Auf dem Wege mußte er auch ‚Schulden einkassieren' (I,V.9), aber selbst wenn das Ökonomische allzu hart klingen sollte, verrät es doch keine Unmenschlichkeit Nathans (wie Hernadi besorgt), denn der Kaufmann sagt selbst, daß ‚so' ein ‚Geschäft' sich ‚nicht von der Hand schlagen läßt' (I,V.10–11); man vermag den Schuldnern gegenüber nicht allzu rasch und rücksichtslos zu handeln; Nathan hatte keinen Grund, ihnen als Shylock [jüdischer Kaufmann aus Shakespeares ‚Der Kaufmann von Venedig'] zu kommen. Im ersten Zwiegespräch mit dem Derwisch dominieren wirtschaftliche Erwägungen: Nathan erscheint durchaus nicht gewillt, sein ‚Betriebsvermögen" zu vermindern, will nicht schrankenlosen Kredit gewähren und so Gefahr zu laufen, sein Kapital ‚in Zins vom Zins der Zinsen' (I,V.429) zu verwandeln; er weiß allzu gut Bescheid über die hoffnungslosen ‚Kanäle' (I,V.415), in denen das bare Geld fortläuft. Über sein Kapital macht man sich allerorten Gedanken, selbst Sittah erklärt ihrem Bruder, was die Gesellschaft darüber denkt. Immerhin sind die herrscherlichen Geschwister weltklug genug, die Quellen seines Reichtums im Handelsgeschick zu sehen; und Sittah, die ihre eigenen Zwecke verfolgt, bricht in eine Lobpreisung des Handelsmannes Nathan aus, die an eine ähnliche Rühmung des Kaufmannsstandes in Lillos ‚The London Merchant' erinnert: ‚Sein Saumtier treibt auf allen Straßen, zieht/ durch alle Wüsten, seine Schiffe liegen/ in allen Häfen' (II,V.329–331). Saladin beharrt auf der feudalen Verachtung des leidigen Geldes; Nathan nutzt sein Kapital als selbstverständliches Instrument der Lebensbeherrschung, fährt in seinen Versuchen fort, Dajas Schweigen über die Herkunft Rechas erkaufen zu wollen, denkt an eine reiche Beloh-

nung des Tempelherren, will das Büchlein des Klosterbruders mit Gold aufwiegen und tritt Saladin bald ironisch, bald in ernster Freundschaft als hilfreicher Kapitalist entgegen. Die merkwürdige Geld-Metaphorik,
zum ersten und zum letzten Male in Lessings Theater,
demonstriert auf ihre Art, wie energisch die conditions
den Charakter durchfärben; so das fast systematisch
entfaltete Bild von den orientalischen Bewässerungsan-
lagen (I,3), durch die das Geld fortschwimmt, und jenes
gespannte, höchst widersprüchliche conceit [Gedanken-
bild] von der Wahrheit als Münze (III,6), in welchem
Nathan auf den Kern und auf die Methode seines ‚Ge-
schichtchens‘ vorausweist. Nathan ist in seiner Anschauung von Welt und Gesellschaft Bürger und Kaufmann. Eine echte Mittelstandsideologie forcierend, die
man hundert Jahre später Realismus nennen wird, beharrt er auf dem Weltbild eines bürgerlichen Handelsmannes ausgesprochen ziviler Neigungen, welcher das
‚Mittelgut‘ dem gefährlichen Großen, das ‚Gipfelchen‘
dem Gipfel (II,5), den ‚Topf von Eisen‘ der ‚silbernen‘
Zange, den tätigen Handel und Wandel dem Seufzen,
Beten, Fasten und Schwärmen vorzieht (I,2). In man-
chen seiner Gedanken ist der Jude Nathan, durch die
conditions, von einem protestantisch-puritanischen
‚London merchant‘, wie er am Anfang des bürgerlichen
Schauspiels steht, kaum noch zu unterscheiden.
[...] Nathan als aufgeklärten Juden zu rühmen, ist nicht
weniger problematisch als seine allegorische Verein-
fachung. Er sagt ja selbst, im Gespräch mit dem Tempelherren und im Monolog, daß er es vorziehe, sich als
Mensch (II,5) und nicht als Stockjude (III,6) zu betrach-
ten. ‚Man‘, die Welt, hält ihn für einen Juden, und er
spielt die Rolle auch weiter; sie ist aber längst zur Maske geworden, die er, wie das ‚Geschichtchen‘ bezeugt,
nur mehr aus Pietät zu seinen Vorfahren trägt. Als einzelner distanziert er sich von seinem Volk, dessen ge-
meinschaftliches Leid er einst während des Pogroms er-
fuhr; sein Volk (der Gedanke an das Motiv von biologi-
scher Zeugung und geistiger Schöpfung liegt nahe) erscheint ihm als ein höchst problematischer Mutter-
grund, den er nicht ‚auserlesen: sind wir unser Volk?
was heißt denn Volk?‘ (II,V. 522–523).“

(Peter Demetz, Lessings ‚Nathan der Weise‘: Wirklich-
keiten und Wirklichkeit. 1966. Zit. n. Bohnen, 199–203)

Nathan den Juden stellt die soziologische Analyse
Hans Mayers in den Mittelpunkt. Gegen Lessing
betont er das Anderssein der Juden als Volk (das
er in der Figur des Juden Shylock in Shakespeares „Kaufmann von Venedig" vertreten sieht):

Hilfreicher Kapitalist

Echte Mittelstands-ideologie

Nathans Religio-sität zwischen Tradition und Zukunft

Nathan der Jude

" ... Dennoch hätte bereits im Erscheinungsjahr 1779 eine sorgenvolle Lektüre des dramatischen Gedichts ‚Nathan der Weise‘, jenseits aller Musikalität und Humanität, die Brüchigkeit der denkerischen und gesellschaftlichen Prämissen erkennen lassen.

[...]

Besitz und Weisheit machen Nathan zum Partner des Sultans und des Templers. Vielleicht doch nur obenhin? Bei der opernhaften Apotheose des Schlusses, da alle mit allen verwandt scheinen, eine geeinte Menschheit unter der Sonne der Vernunft, geht Nathan leer aus. Er ist mit niemandem verwandt. Saladin und Sittah, Recha und ihr Bruder: alles Blutsverwandte zwischen Orient und Abendland. Der Jude Nathan ist ein Freund, man ist dankbar, er wird stets willkommen sein, doch blieb er Außenseiter: wie Shylock in Venedig.

[...] Nathan ist bei Lessing [...] weitgehend Abstraktion; nur die berühmte Pogromerzählung (IV,7) ordnet diese Existenz den Lebensbedingungen des Judentums zu; im übrigen repräsentiert Nathan die allgemeine Aufklärung, keine jüdische Sonderausgabe. Seine dialektischen Fragen und Gegenfragen teilt er als Ausdrucksmerkmal mit seinem Autor Lessing. Vor allem wird Nathans Judentum nicht als Nationalität, sondern als Religion interpretiert. Wodurch eine petitio principii [Vorwegnahme eines gewünschten Ergebnisses] erfolgt ist: Am Anfang der jüdischen Emanzipation wird von Lessing in der Kunstfigur des Nathan das wünschbare Ergebnis bereits vorweggenommen. Nathan ist nur noch der Religion nach ein Jude, und diese Religion hält er selbst für zufällig und austauschbar.

Wir haben beide
Uns unser Volk nicht auserlesen. Sind
Wir unser Volk? Was heißt denn Volk?
Sind Christ und Jude eher Christ und Jude,
Als Mensch? (II,5)

[...]

Selbst aber in Lessings kunstvollem Unterfangen, erst zu Leistendes als bereits geleistet, Antizipation als Realität zu präsentieren, gibt es immer wieder Hinweise auf die Schwierigkeiten des Unternehmens, die nicht allein vom plebejischen Unverstand einer Daja oder dem Vorurteil des Patriarchen herrühren, sondern vom Konflikt zwischen Vernunft und Individualinteresse. Ein erschreckendes Beispiel bietet der Tempelherr. Er war in Verehrung den Toleranzbund mit Nathan eingegangen, nun erfährt er, durch Mißverstehen und Intrige, scheinbar Nachteiliges über Nathans Handeln zu seinen eigenen Ungunsten. Sogleich bricht es heraus:

Er ist entdeckt.
Der tolerante Schwätzer ist entdeckt!
Ich werde hinter diesen jüd'schen Wolf
Im philosoph'schen Schafpelz Hunde schon
Zu bringen wissen, die ihn zausen sollen! (IV,4)

Wer beim Lesen oder hören dieser Stelle nicht zusammenschrickt, im Lichte späterer Erfahrung, sondern getreulich auf die Arie der Ringparabel abstellt, verkleinert den generösen – und vergeblichen – Versuch Lessings, Shylock als Nathan mit Hilfe von Wohlstand und gebildeter Humanität aus dem Sonderdasein zu befreien und zum Jedermann zu wandeln, der bloß eine etwas antiquierte, doch ehrwürdige Religion praktiziert [...]

In dem didaktischen Märchen ‚Nathan der Weise‘ ist, in jener Ambivalenz von Wirklichkeit und Möglichkeit, alle gesellschaftliche Konkretheit absichtsvoll ausgespart. Man befindet sich unter reichen Leuten, die Toleranz offensichtlich nur unter ihresgleichen üben. [...] Lessings Größe beruht auch hier [...] in der <u>Notwendigkeit seines Scheiterns</u>. Er etablierte jüdische Emanzipation als unabdingbaren Bestandteil der allgemeinen Aufklärung. Indem er auch diese Befreiung und Gleichsetzung als eine solche der Bildung und des Besitzes verstand, entsprach er einerseits zwar den Bedürfnissen kapitalistischer Evolution, gründete andererseits aber <u>Toleranz</u> auf ein <u>Postulat der Intoleranz</u>, indem für Shylock und seine Geschwister die Gleichstellung nur denkbar sein sollte um den Preis der Aufgabe der Nationalität: im Grunde der existentiellen Besonderheit [der Juden] in der europäischen Gesellschaft seit Beginn der christlichen Ära. Die Entwicklung hat Lessing widerlegt: seine Trennung von Realität und Gerücht in den ‚Juden‘ [Lessings Jugenddrama], wie sein Konzept der Austauschbarkeit von Religionen im Zeichen vernünftiger Unterhaltung zwischen Wohlhabenden und Herrschenden (‚Nathan der Weise‘). Shylock aber verkörpert kein Religionsproblem, sondern stellt sich, mitsamt seinen Geschwistern, quer zur bürgerlichen Aufklärung. In Lessings oder Kants ‚Menschheit‘ geht er nicht auf oder ein. Er bedeutet eine Relation der Unschärfe für alle formale Illumination [Aufklärung].“

(Hans Mayer, Der weise Nathan und der Räuber Spiegelberg. Antinomien der jüdischen Emanzipation in Deutschland. Jahrbuch der Deutschen Schillergesellschaft 17 (1973). Zit. n. Bohnen 364–367)

Toleranz unter reichen Leuten

Jüdische Emanzipation von Bildung und Besitz abhängig gemacht

Intolerante Forderung der Aufgabe der Nationalität

Wort- und Sacherklärungen zum Text

(soweit sie nicht bereits in den Inhaltsangaben zum Handlungsverlauf oder den jeweiligen kommentierenden „Beobachtungen des Lesers oder Zuschauers" enthalten sind)

I,1: *Grille* (Laune), *keines irdischen* (ergänze: Vaters Sohn), *Muselmann* (Moslim, Mohammedaner), *wallen* (gehen, wandeln)

I,2: *Subtilitäten* (Spitzfindigkeiten), *Bug* (Biegung), *Franke* (orientalische Bezeichnung für Europäer), *Derwisch* (Angehöriger eines mohammedanischen Bettelmönchordens)

I,3: *Kellner* (Kellermeister), *Äser* (Plural von Aas), *Vorfahr* (Vorgänger), *filzig* (geizig), *Vogler* (Vogelsteller), *Geck* (Narr)

I,4: *Biedermann* (Ehrenmann)

I,5: *Vater* (Anrede der Mönche, Pater), *Laienbruder* (verrichtet niedrige Dienstleistungen im Kloster), *Patriarch* (Erzvater, Titel des Bischofs von Jerusalem), *frommt* (nützt), *König Philipp* (Philipp II. August von Frankreich, Heerführer im 3. Kreuzzug), *ausgegattert* (ausgespäht), *Maroniten* (Sekte syrischer Christen), *leugst* (lügst)

I,6: *mein Paket wagen* (meinen Auftrag ausführen), *Spezereien* (Gewürze), *Sina* (China), *Kaiser Friedrich* (Barbarossa)

II,1: *Gabel* (eine Schachfigur bedroht gleichzeitig zwei Figuren des Gegners), *Dinar* (arabische Goldmünze), *Naserin* (kleine Silbermünze), *Satz* (Einsatz), *zum wenigsten* (zumindest), *doppelt Schach* (König und Dame sind gleichzeitig bedroht), *Abschach* (Schach durch Abzug einer zwischenstehenden Figur), *Wie höflich ...* (Saladin hat Gemahlinnen gegnerischer Könige freies Geleit gewährt), *die glatten Steine* (der Islam verbietet Abbildungen, deshalb spielen Strenggläubige anstelle der Figuren mit glatten Steinen, die nur durch Schriftzeichen unterschieden sind), *Iman, Imam* (mohammedanischer Bischof), *schlechterdings* (durchaus, ganz und gar)

II,2: *abbrechen, einziehen, sparen* (synonym für sich einschränken), *abzudingen* (abzuhandeln), *Unterschleif* (Minusbilanz), *trotz Saladin* (ebensogut wie Saladin), *Parsi* (Parse, indischer Anhänger des persischen Zoroaster (=Zarathustra)-Glaubens)

II,3: *Mammon* (Geld, Reichtum), *Saumtier* (Lasttier), *Haram* (Harem, Frauengemach)

II,5: *Floht ihre Prüfung* (wolltet sie nicht in Verlegenheit, in Versuchung bringen), *Knorr, Knubben* (knotenartige Auswüchse an Bäumen), *das Gemeine* (das Gewöhnliche)

II,7: *Kundschaft* (Bekanntschaft), *Rückhalt* (Zurückhaltung)

II,9: *Roche* (Turm im Schachspiel), *Gheber* (arabisch für Parse, vgl. II,2), *Delk* (Kittel eines Derwischs)

III,1: *Nur schlägt er mir nicht zu* (ist er mir nicht zuträglich), *Wähnen* (Meinen)

III,2: *übel anließ* (heftig anfuhr), *verstellt* (verändert, entstellt)

III,4: *besorgen lassen* (Sorge, Furcht erregen), *abzubangen* (durch Bangemachen, durch Einschüchterung ablisten, abpressen)

III,6: *fodern* (dichterisch für fordern), *Stockjude* (Verstärkung wie in stockblind, stockfinster)

III,7: *in Osten* (im Orient), *Speis' und Trank* (Verbot des Genusses von Schweinefleisch für Juden und des Weintrinkens für Mohammedaner), *Post* (Posten, Summe Geld), *spartest* (schontest), *bloße Leidenschaft* (Saladins willkürliche Begnadigung des Tempelherrn wegen seiner Ähnlichkeit mit Assad, Saladins verschollenem Bruder)

III,8: *in dem gelobten Lande* (Palästina, Israel), *wo er fiel* (der Tempelherr weiß vom Übertritt seines Vaters vom mohammedanischen zum christlichen Glauben aus Liebe zu einer Christin)

III,9: *der Mann steht seinen Ruhm* (Saladin verdient seinen guten Ruf), *Erkenntlichkeit* (Dankbarkeit), *Bastard oder Bankert* (uneheliches Kind oder Kind aus einer nicht standesgemäßen Verbindung), *Schlag* (Gattung, Art)

III,10: *wirkt* (formt, verarbeitet), *die Vorsicht* (Vorsehung)

IV,1: *Patriarch* (vgl. 1, 5), *rund* (bestimmt), *mit Fleisch und Blut* (als schwacher Mensch, ohne (göttlichen) Geist), *Hält doch nur seiner/ Die Stange* (bleibt doch nur seiner Religion verbunden, vertritt doch nur ihre Interessen), *lauter* (aufrichtig, ehrlich), *Mich einer Sorge nur gelobt* (nur das Gelübde des Gehorsams abgelegt)

IV,2: *Prälat* (höherer Geistlicher), *Nach Hofe sich erheben* (sich zum Sultanshof begeben), *Frommen* (Nutzen), *Faktum oder Hypothese* (Tatsache oder Annahme), *Witz* (Verstand, Geist), *auf das Theater* (anachronistische Anspielung Lessings auf einen Vorwurf seines Gegners Goeze, Lessings Logik sei nur „Theaterlogik", vgl. Goezes Streitschriften gegen Lessing), *Schnurre* (witzige Erzählung), *Diözese* (kirchliches Amtsgebiet), *fördersamst* (schnellstens), *Apostasie* (Abfall vom christlichen Glauben), *Kapitulation* (Vertrag), *Sermon* (Rede, Predigt), *Problema* (offene Frage, die zum Zweck einer Erörterung gestellt wird), *Bonafides* („guter Glaube", Name des Klosterbruders)

IV,3: *Ist/ Des Dings noch viel zurück?* (Ist von dem Zeug – hier geringschätzig für Geld – noch viel übrig?), *das Armut* (die armen Leute), *die Spenden bei dem Grabe* (Saladin gewährt den Christenpilgern eine Unterstützung), *sein Ton* (seine Stimme)

IV,4: *Ginnistan* (Feenland), *Div* (Fee), *Jamerlonk* (Oberkleid der Araber), *Tulban* (Turban), *Filze* (Filzhut), *auf meiner Hut/ Mich mit dir halten* (auf der Hut vor dir sein), *platterdings* (einfach, ohne weiteres), *Ausbund* (Muster, Schaustück), *körnt* (anlockt, ködert), *verzettelt* (verstreut, versprengt, verloren gegangen), *tolerant* (Toleranz als Duldung abweichender Glaubensbekenntnisse), *Schwärmern deines Pöbels* (Fanatikern unter den Christen), *ohne Schweinefleisch* (der Genuß von Schweinefleisch ist Juden und Mohammedanern verboten)

IV,6: *Nicht Feuerkohlen bloß auf Euer Haupt/ Gesammelt* (hier: nicht nur Schuld auf Euch geladen)

IV,7: *annoch* (noch), *nu* (nun), *Eremit* (Einsiedler), *Quarantana* (Berg zwischen Jericho und Jerusalem, auf dem Jesus vierzig Tage lang gefastet und der Versuchung des Teufels widerstanden haben soll, vgl. Matthäus Kap. 4), *Tabor* (Berg bei Nazareth in Galiläa, auf dem Jesus verklärt worden sein soll, vgl. Matthäus Kap. 17 und Markus Kap. 9), *stracks* (sofort), *Gazza* (Gaza, im Jahr 1170 von Saladin gegen die Kreuzritter wieder erobert), *Darun* (Burg und Weiler in der Nähe von Gaza), *blieb* (starb), *Askalon* (Küstenstadt nördlich von Gaza), *so hat/ Es gute Wege* (so ist es in Ordnung), *Gleisnerei* (fromme Heuchelei), *Gath* (Stadt nördlich von Askalon), *Vorsicht* (vgl. III,10), *fodert* (vgl. III,6), *Ohm* (Oheim, Onkel), *Sipp'* (Sippe, Blutsverwandter), *Brevier* (Gebetbuch), *Eidam* (Schwiegersohn)

IV,8: *gesteckt* (heimlich mitgeteilt), *vermeinte* (vermeintliche), *ist drum* (ist darum gebracht, ist sie los)

V,1: *Mamelucken* (Sklaven, Leibwache des Sultans), *Kahira* (Kairo), *Zeitung* (Nachricht), *Botenbrot* (Botenlohn), *knik-*

kerte (geizig war, knauserte), *Abtritt* (Hingang, Tod), *der Lecker* (eigentlich Leckermaul, hier Schlingel, Schelm), *Daß sie mein Beispiel bilden helfen* (ergänze: hat bilden helfen), *Emir* (arabischer Titel für Fürsten und Heerführer)

V,2: *Thebais* (Landschaft im oberen Ägypten, nach der alten Hauptstadt Theben), *Bedeckung* (Mannschaft als Begleitschutz)

V,3: *fleißig* (eifrig, oft), *ihn zu stimmen* (ihn umzustimmen, günstig zu beeinflussen), *den Block geflößt* (einen rohen Stein- oder Holzblock hertransportiert, der erst noch bearbeitet werden muß), *Aberwitz* (Unverstand, Torheit), *Tand* (wertloses Zeug), *Buhler* (Schöntuer), *Querkopf* (der anderen in die Quere kommt, den Weg verstellt)

V,4: *Euch aufzudringen, was Ihr nicht braucht* (Nathan hat dem Klosterbruder ein Geldgeschenk angeboten), *itzt* (jetzt), fleißig (vgl. V,3)

V,5: *Stöber* (Spürhund, Spion), *Pfiff* (Einfall, Idee), *wurmisch* (ärgerlich, wütend, vgl. „das wurmt mich"), *Gauch* (Narr), *auszubeugen* (auszubiegen, auszuweichen), *Ist Euch gehässig* (feindlich gesinnt, haßt Euch), *Laffe* (Tölpel, eitler junger Mann), *Das dank ihm – wer für mehr ihm danken wird* (er vermeidet, den Namen des Teufels auszusprechen), *verhunzen* (auf den Hund bringen, verderben), *Auch eben viel* (gleichviel)

V,6: *meines Vaters Hand* (Handschrift), *so schlecht und recht* (schlecht hier im alten Sinn: schlicht, einfach, aufrichtig), *in die Richte gehen* (den kürzesten Weg nehmen), *bei der Göttlichen* (Maria, Mutter Jesu)

V,7: *von sich* (außer sich), *faselnd* (irr, wirr redend), *Der mit uns um die Wette leben will* (einen Ehemann)

V,8: *gach* (jäh, hitzig, unbesonnen), *Argwohn folgt auf Mißtraun* (Nathan meint, der Tempelherr habe ihm aus Mißtrauen nicht seinen wahren Namen genannt), *Das hieß Gott ihn sprechen!* (Den Vorwurf der Lüge hätte der Tempelherr als Ritter mit dem Schwert rächen müssen), *Ohm* (vgl. IV,7), *Wir sind Betrüger!* (Er hält uns für Betrüger), *Ich meines Bruders Kinder nicht erkennen?* (anerkennen), *meine Neffen* (Plural für Neffe und Nichte)

Literaturhinweise

Zur Epoche

Herold, Theo / Wittenberg, Hildegard: Aufklärung. Sturm und Drang. Klett. Stuttgart 1983
Große, Wilhelm: Aufklärung – Sturm und Drang. Dichtungstheorien. Mit Materialien. Klett. Stuttgart 1983

Zu Lessing

Bark, Joachim: Gotthold Ephraim Lessing. Leben und Werk
Klett Editionen. Stuttgart 1986
Drews, Wolfgang: Gotthold Ephraim Lessing. Mit Selbstzeugnissen und Bilddokumenten. Rowohlt Bildmonographien. Reinbek 1962
Guthke, Karl S.: Gotthold Ephraim Lessing
Metzler. Stuttgart 3. (erweiterte und überarbeitete Auflage) 1979
Lessing und die Zeit der Aufklärung. Vorträge gehalten auf der Tagung der Joachim Jungius-Gesellschaft der Wissenschaften. Hamburg 1967. Vandenhoek & Ruprecht. Göttingen 1968
Lessing und die Toleranz. Beiträge der vierten internationalen Konferenz der Lessing Society in Hamburg vom 27. bis 29. Juni 1985. Hrsg. von Peter Freimark, Franklin Kopitzsch, Helga Slessarev. edition text + kritik. München 1986

Lessings Werke

Göpfert, Herbert (Hg.): Gotthold Ephraim Lessing. Werke. 8 Bände Hanser. München 1970ff. (Nathan in Band 2)
Rilla, Paul (Hg.): Gotthold Ephraim Lessing. Gesammelte Werke in 10 Bänden. Aufbau-Verlag. Berlin 1954ff. (Nathan in Band 2)

Nathan der Weise: Neuere Textausgaben
(z.T. mit Materialien/Interpretationen)

Bark, Joachim (Hg.): Gotthold Ephraim Lessing, Nathan der Weise. Mit Materialien. Klett Editionen. Stuttgart 1981

Göbel, Helmut (Hg.): Lessings ‚Nathan'. Der Autor, der Text, seine Umwelt, seine Folgen. Wagenbachs Taschenbücher 43. Berlin 1977

Lessing, Gotthold Ephraim: Nathan der Weise. Goldmann Klassiker 7586. München 1979

Lessing, Gotthold Ephraim, Nathan der Weise. Reclam (UB 3). Stuttgart

Analysen. Interpretationen. Rezensionen

Barner, Wilfried/ Grimm, Gunter/ Kiesel, Helmuth/ Kramer, Martin: Lessing. Epoche - Werk - Wirkung. Beck. München 4. (völlig neu bearbeitete Auflage) 1981

Bauer, Gerhard und Sibylle (Hg.): Gotthold Ephraim Lessing Wissenschaftliche Buchgesellschaft (Wege der Forschung) Darmstadt 1968, 2./ 1986 (Abhandlungen über Lessing u. einz. Werke)

Bohnen, Klaus (Hg.): Lessings ‚Nathan der Weise' Wissenschaftliche Buchgesellschaft (Wege der Forschung) Darmstadt 1984
(Enthält u.a. die zitierten Arbeiten von Ernst Cassirer, Peter Demetz, Wilhelm Dilthey, Gottfried Fittbogen, Paul Hernadi, Hans Mayer, Jürgen Schröder, Josef Schnell)

von Düffel, Peter (Hg.): Gotthold Ephraim Lessing, Nathan der Weise. Erläuterungen und Dokumente. Reclam (UB 8118). Stuttgart 1972

Durzak, Manfred: Zu Gotthold Ephraim Lessing. Poesie im bürgerlichen Zeitalter. Klett (Literaturwissenschaft - Gesellschaftswissenschaft) Stuttgart 1984

Gehrke, Hans: Lessings ‚Nathan der Weise'. Biographie und Interpretation. Beyer. Hollfeld 1974

Koebner, Thomas, Nathan der Weise. Ein polemisches Stück? In: Interpretationen. Lessings Dramen. Reclam. Stuttgart 1987. S. 138–207

Kröger, Wolfgang: Lessings ‚Nathan der Weise'. Ein toter Klassiker? Oldenbourg Verlag. München 1980

Neumann, Peter Horst, Der Preis der Mündigkeit. Über Lessings Dramen. Klett-Cotta. Stuttgart 1977

Ritscher, Hans: Lessing, Nathan der Weise. Diesterweg (Grundlagen und Gedanken). Frankfurt. Berlin. Bonn o.J.

Rohrmoser, Günter: Gotthold Ephraim Lessing, Nathan der Weise. In: Benno von Wiese (Hg.): Das deutsche Drama I. Vom Barock bis zur Romantik. Bagel. Düsseldorf 1964

Schrimpf, Hans Joachim: Lessing und Brecht. Von der Aufklärung auf dem Theater. Neske. Pfullingen 1965

Steinmetz, Horst (Hg.): Lessing – ein unpoetischer Dichter. Dokumente aus drei Jahrhunderten zur Wirkungsgeschichte Lessings in Deutschland. Athenäum. Frankfurt Bonn 1969

Thielicke, Helmut: Offenbarung, Vernunft und Existenz. Studien zur Religionsphilosophie Lessings. 3./1957

Thomas, Werner: Opus supererogatum. Didaktische Skizze zur Interpretation von Lessings ‚Nathan der Weise'. In: Der Deutschunterricht 1959 Heft 3. Klett Stuttgart

LEKTÜREHILFEN

Jurek Becker
„Bronsteins Kinder"
Sekundarstufe II
118 Seiten
ISBN 3-12-922348-7

Friedrich
Dürrenmatt
„Die Physiker"
Sekundarstufe II
114 Seiten
ISBN 3-12-922345-2

Max Frisch
„Homo faber"
Sekundarstufe II
108 Seiten
ISBN 3-12-922306-1

Max Frisch
„Stiller"
Sekundarstufe II
164 Seiten
ISBN 3-12-922349-5

J.W. von Goethe
„Faust – Erster und
Zweiter Teil"
Sekundarstufe II
184 Seiten
ISBN 3-12-922315-0

J.W. von Goethe
„Iphigenie auf
Tauris"
Sekundarstufe II
92 Seiten
ISBN 3-12-922314-2

Ödön von Horváth
„Der jüngste Tag"
Sekundarstufe II
120 Seiten
ISBN 3-12-922346-0

Franz Kafka
„Der Prozeß"
Sekundarstufe II
127 Seiten
ISBN 3-12-922334-7

Heinrich von Kleist
„Der zerbrochne
Krug"
Sekundarstufe II
164 Seiten
ISBN 3-12-922351-7

G. E. Lessing
„Nathan der Weise"
Sekundarstufe II
140 Seiten
ISBN 3-12-922339-8

Friedrich Schiller
„Maria Stuart"
Sekundarstufe II
132 Seiten
ISBN 3-12-922352-5

Alle Titel der Reihe Lektürehilfen sowie
unserer weiteren Reihen Training, Abitur-
wissen und Kurswissen finden Sie im
Klett-Lernhilfen-Verzeichnis Nr. P640007.
Fragen Sie Ihren Buchhändler.